일만 하다 죽을 것 같아
결혼을 결심했다

라엘리아나 지음

소확행을 추구하는 삶을 사는 20년 차 직장인.
매일 반복되는 하루이지만 어제와 다른 행복을 찾기 위해 노력하며 살고 있다. 글쓰기도 소확행 중 하나였는데 이렇게 책까지 내게 되다니 소확행이 모여서 큰 행복이 된다는 말이 맞는 것 같다. 앞으로도 계속 수확량을 모아 큰 행복을 만들 거라는 다짐을 해본다. 이제는 혼자가 아닌 누군가와 함께 소확행을 찾기 바라며...

브런치 스토리	https://brunch.co.kr/@17years
이메일	laeliaseven@gmail.com
일러스트	Designed by Freepik
편집 디자인	라엘리아나

발행일 2023 12 월 8 일
저자 라엘리아나
일러스트 Designed by Freepik
편집 디자인 라엘리아나

펴낸곳 BOOK CLUB
펴낸이 백소영
주소 서울특별시 강남구 강남대로 156 길 12, 4 층
전화 1566-7187
등록 2023 년 7 월 3 일 제 2023-000213 호
홈페이지 www.bookclubplay.com
이메일 koreamedia@naver.com
ISBN 979-11-984297-2-8

프롤로그

저는 스무 살 때부터 결혼해서 행복한 가정을 이루는 꿈이 있었습니다. 언젠가는 이 꿈을 이룰 수 있을 거라고 막연하게 생각만 했던 것 같습니다. 막상 현실은 결혼과는 거리가 먼 삶을 살았고. 그렇게 서른이 되었습니다. 서른이 되니 결혼은 필수가 아닌 선택이며 좋은 사람을 만나면 하고 싶다는 생각으로 바뀌었고, 언젠가 나의 이야기를 책으로 쓰고 싶다는 새로운 꿈이 생겼습니다.

그리고 시간은 더 흘러 마흔이 넘었는데 여전히 결혼은 하지 않았고, 책을 쓰는 일은 꿈으로 남아있었습니다. 혹자는 마흔이 넘은 미혼은 결혼을 안 한 것이 아니라 못한 것이라고 하던데 반박하고 싶지만 생각해 보니 어느 정도는 맞는 말 같습니다.

몇 년 전만 해도 결혼이 꼭 해야 하는 건 아니라고 생각했지만 지금은 하고 싶은데 잘 안되고 있으니까요.

뒤늦게 결혼을 꼭 해야겠다는 생각이 들었지만 40 대가 되니 이성을 만나는 경로와 숫자가 너무 많이 줄어버렸습니다. 비슷한 또래의 결혼 생각이 있는 사람들은 대부분 결혼을 했고, 남은 사람들 중에는 비혼주의자가 많기 때문입니다. 그렇지만 결혼을 해야겠다고 결심한 이상 쉽게 포기할 생각은 없습니다.
그래서 결혼을 위한 적극적인 노력을 시작했습니다.
이 책에서는 저의 결혼에 대한 생각이 변해가는 과정과 함께 40 대의 결혼이 어려운 현실적인 이유들에 대해 다뤘습니다. 그리고 많은 어려움들에도 불구하고 늦은 만큼 더욱 노력 중인 방법들과 현재 진행상황을 공유하려고 합니다.
과거의 저처럼 결혼에 대해 막연한 생각을 가지고 있는 2030 여성들은 이 책을 읽고 결혼에 대한 생각을 정립해서 저와 같은 전철을 밟지 않았으면 좋겠습니다.
그리고 결혼이 하고 싶은데 주위의 시선 때문에 차마 말하지 못하고 있는 30 대 후반 이상의 분들에게는 공감과 위로가 되기를 바랍니다. 마지막으로 제가 노력 중인 방법들이 이 책을 읽는 모두에게 실질적인 도움이 됐으면 합니다.

서른부터 꿈꿔왔던 저의 첫 책이 드디어 나오게 됐습니다.

스무 살 때의 꿈인 결혼을 못 이뤄서 첫 책이 나오게 되다니 인생 참 아이러니합니다. 서른 때의 꿈이 이뤄졌으니 이번에는 스무 살 때의 꿈이 이뤄지지 않을까요?
이 책을 쓴 저에게는 결혼의 시발점이 되길 바라며 책을 시작합니다.

차례

Chapter 1

미혼과 비혼사이에서 길을 헤매다

스무 살은 꿈이 참 많은 나이이다.
그때 꾼 여러 꿈 중 하나가 결혼해서 행복한 가정을 이루는 것이었는데 때가 되면 자연스럽게 이룰 거라고 생각해서 크게 신경 쓰지 않았다.
그렇게 나는 미혼과 비혼사이에서 오랜 시간을 헤매게 되었고, 마흔이 넘은 지금까지도 결혼은 꿈으로 남아있다.

미혼과 비혼사이

나는 결혼을 하지 않았다.

비혼주의자가 아닌데 결혼을 안 했으니 안 한 게 아니라 못한 것일 수도 있다. 나와 잘 맞는 좋은 사람을 만나면 하고 싶다는 생각은 늘 가지고 있었지만 막상 결혼에 대해 큰 관심을 갖거나 노력은 하지 않았다. 그리고 만약 그런 사람을 못 만난다면 결혼을 아예 안 할 수도 있다고 생각했다. 결혼을 할 생각이 있는데 하지 않았으니 미혼(未婚)이면서 결혼을 안 할 가능성도 있으니 비혼(非婚)이기도 한 셈이다.

30 대 중반 이상 결혼하지 않은 사람들 중에 확고한 비혼주의자가 얼마나 될까? 아마 나처럼 미혼과 비혼사이에서 헤매는 사람이 훨씬 더 많을 것이다. 정말 친한 사이가 아닌 이상 결혼하고 싶어도 솔직하게 말하지 않을 뿐이다. 주위 사람들에게 결혼할 생각이 있다고 말을 하는 순간 얼마나 좋은 이야깃거리가 되는지 잘 알기 때문이다.

이제 시대가 바뀌어서 혼인율은 계속 낮아지고 있고, 남의 결혼에 대해 참견하는 게 매너가 아니라고 하지만 여전히 결혼은 인생에서 가장 큰 이벤트 중 하나이며 할 사람들은 다 한다. 그래서 30 대 이상이 모이면 결혼처럼 이야기를 나누기 좋은 화두가 없다. 특히, 미혼인 사람이 결혼을 하고 싶다는 의사를 내비치면 결혼에 관한 참견들이 시작된다.

가장 먼저 대다수의 기혼자들은 요즘같이 좋은 세상에 혼자 편하게 살지 굳이 왜 하려고 하냐고 말린다.
본인은 결혼해 놓고서 왜 말리는 걸까?
그 다음으로는 내키지 않는 소개팅을 주선하는 사람이 있다. 마음은 고맙지만 결혼하고 싶다고 해서 모든 소개팅에 나가고 싶지는 않다. 그런데 거절하면 저래서 결혼을 못하는 거라며 뒤에서 흉보는 경우도 더러 있다. 나이가 많다는 이유만으로 소개팅을 거절할 자유도 없는 걸까? 그리고 말은 안 하지만 나를 안쓰럽게 바라보는 이들도 있다. 결혼을 안 했을 뿐 나름 잘 살고 있는데 그런 사람들을 보면 언짢아진다. 그래서 이런 반응들을 한 두 번 겪으면 결혼에 대한 이야기가 나올 때 조용히 있게 된다.

이제 나는 저런 반응들이 나와도 능청스럽게 대응할 수 있는데 더 이상 나에게 결혼관련 질문을 하지 않는다.
나도 모르는 사이 비혼주의자가 되어버린 걸까? 아니면 결혼하고 싶어도 하기 어려운 사람이 되어버린 걸까? 둘 다 달가운 짐작은 아니지만 이게 40 대 미혼을 바라보는 현실인 것 같다.

진짜 현실의 나는 오랜 시간동안 미혼과 비혼 사이에서 헤매다 기혼의 길을 향하여 빠져나왔다. 너무 늦게 출발한 초행이라서 매우 험난한 길이 예상된다. 스무 살 때 하나의 꿈이었던 결혼이 마흔 넘어 절대적인 목표로 바뀌면서 얼마나 많은 노력과 힘이 필요할지 걱정도 많이 된다. 하지만 다른 한편으로는 가보지 않은 길이라서 설레기도 한다. 한 회사에 20 년 다닌 성실함과 꾸준함 그리고 열정을 보태서 한발 한발 내딛다 보면 결혼의 길이 열리지 않을까?

열려라! 결혼!

미혼의 가장 위험한 생각
'때가 되면 인연이 나타나겠지...'

2,000 년대 초중반에는 여자가 20 대 후반에 결혼하는 경우가 많았다. 그래서 2,005 년에 방영했던 인기 드라마 '내 이름은 김삼순'에서 주인공 '김삼순'의 나이가 서른 살이었는데 노처녀로 묘사되어 있다. 지금 보면 실소가 나오지만 그때는 그랬다.

실제로 회사 선배들은 대부분 20 대 후반에 결혼을 했다.

그리고 시간이 좀 더 흘러서 친구들도 20 대 후반부터 30 대 초반에 거의 다 결혼했다. 반면에 나는 서른이 넘었는데도 결혼의 기미가 안 보이자 주위에서 이렇게 말하기 시작했다.

“때가 되면 인연이 나타날 거야!”

그럼 인연을 만나는 ‘때’란 과연 언제일까?

통계청에 따르면 2022 년 기준 평균 초혼 연령이 남자는 33.7 세, 여자는 31.3 세로 늦어지고 있는 추세이다. 평균 통계이니 그 ‘때’가 빠른 사람도 있고, 늦은 사람도 있겠지만 솔직히 마흔은 많이 늦었다. 마흔이 넘었는데도 나의 ‘때’는 아직 오지 않은 것일까? 이제는 그 ‘때’와 ‘인연’을 놓쳤다고 생각해서인지 아무도 그런 말조차 하지 않는다.

불현듯 32 살에 봤던 사주가 생각났다.

31 살에 결혼운이 있었고, 그 후 10 년을 건너뛰어 41 살부터 띄엄띄엄 50 대까지 결혼운이 있다고 했다. 재미 삼아 본 사주였고 너무 먼 미래라서 믿지 않았고, 믿고 싶지도 않았다.

하지만 마흔이 넘었는데도 진짜 결혼을 안 하다니 이제보니 그분이 진짜 용한 분이었던 건가? 지금이라도 다시 찾아가 봐야 하는 건가? 그러다 문득 40 살에 결혼운이 있었는데 결혼 근처에도 가지 않았던 게 생각났다. 맞은 부분은 신통하게 생각하며 점 봐준 사람을 신뢰하게 되고, 틀린 부분은 자체 스킵해서 잊어버리는 전형적으로 점집에 빠지는 과정을 내가 밟고 있었다. 이래서 챗 GPT 가 보고서를 대신 써주는 이 시대에도 점집이 망하지 않나 보다.

때가 되면 인연이 나타난다는 말을 맹신한 건 아니었지만 주위에서 결혼하는 커플들을 보니 어느 정도 맞는 말이라고 생각했다. 결혼에 이르기까지의 스토리를 들으면 진짜 인연이 있는 거 같다는 생각이 들 때가 많았고, 나에게도 언젠가 당연히 그 차례가 올 줄 알았다.

그 결혼 스토리들 중 생각나는 몇 가지를 적어보자면 한 친구는 남편과 종교 모임 친구였는데 오래 사귄 여자친구가 있어서 짝사랑하며 속앓이만 하고 있었다. 그런데 어느 날 남편이 여자친구와 헤어졌고, 자연스럽게 친해지면서 결혼까지 성공했다. 다른 친구는 대학 선후배 사이였는데 인사만 하는 정도의 사이였다. 그런데 졸업 후, 우연히 만난 인연이 결혼까지 이어졌다. 또 다른 지인은 결혼하려고 했으나 부모의 반대로 헤어졌었다. 그 후, 여자는 다른 남자와 결혼을 했고 남자는 결혼을 하지 않았다. 세월이 흘러 여자는 이혼을 했고, 그 소식을 들은 남자가 여자에게 연락해서 결국 둘은 다시 만나 결혼했다.

이 사례들이 특별하지 않을 수도 있지만 결혼의 인연은 인력으로만 되지 않는 신비한 무언가가 있다는 생각이 들었다. 하지만 인연도 한 사람이 놓는다면 끊어지기 마련이다. 그런데 나는 '인연'은 불가항력이라서 어떻게 해도 절대 끊어지지 않는 그 어떤 힘이 있을 거라고 생각했었다.
그래서 연인과 헤어진 후에 이 정도로 끊어지는 것은 인연이 아니어서 그런 거라고 합리화하며 확신했던 것 같다.

그럼 나는 그 '때'와 '인연'을 위해 무엇을 했을까?
아무리 생각해 봐도 뭔가 특별히 한 건 없는 것 같다.
소개팅이나 맞선이 들어왔을 때 웬만하면 나가기는 했지만 첫 만남에 마음에 들지 않으면 두 번의 만남은 없었다. 그리고 소개팅을 부탁한 적도 없었다.
부부는 인연이라는 질긴 끈으로 이어져 있다고 생각해서 나도 인연이라는 질긴 끈이 갑자기 당겨져 부부로 묶일 줄 알았다. 그런데 뒤늦게 결혼에 관심이 많아지고 나서야 인연이라는 끈의 주인을 찾기 위해 기혼자들이 얼마나 많은 노력을 했는지가 보였다.
남편이 결혼 전 여자친구가 있어서 짝사랑만 했던 친구는 친구로 잘 지내며 좋은 이미지를 구축해서 여자친구가 헤어진 남편과 결혼까지 이어질 수 있었다. 그리고 이혼 후 다시 만나 결혼한 커플도 남자가 인연의 끈을 놓지 않아서 결혼이 가능했다.

또 다른 사례로는 남자들에게 인기가 많아서 어렵지 않게 결혼한 줄 알았던 회사 동료가 주위 사람들에게 적극적으로 소개팅 부탁을 해서 결혼했다는 사실을 뒤늦게 알았고, 다른 평범한 지인은 지방까지 맞선을 보러 다닌 노력 끝에 결혼했다는 이야기를 들었다. 그에 비해 나는 '인연'이 오지 않았다는 명분을 가지고 아무런 노력을 하지 않았던 것 같다. 이래서 미혼의 가장 위험한 생각이 **때가 되면 인연이 나타날 거라는 믿음**이다.

영화 동감에 이런 대사가 나온다.

"인연이란 말은 시작할 때 하는 말이 아니라 모든 게 끝날 때 하는 말이에요."

결혼이라는 결과를 놓고 보니 맞는 말이다. 결혼을 했으니 인연이라고 하는 거지 헤어졌다면 그저 전 남자친구, 여자친구일 뿐이다.

결론적으로 '인연'이 나타나는 '때'란 없다.

인연은 언제, 어디에서 나타날지 모르니 항상 준비하고 있어야 한다. 그리고 인연이라고 느껴지는 사람을 만나면 인연의 끈을 잘 붙잡으면서 상대의 끈도 잘 지켜내야 한다.

더 이상 나는 '때'와 '인연'을 기다리지 않는다. 그래서 이제는 언제, 어디에서 나타날지 모르는 인연을 직접 찾아서 만들기로 했다. 서른에 깨달았다면 얼마나 좋았을까 싶지만 이럴 때마다 스스로에게 하는 말이 있다.

'마흔에라도 깨달은 게 어디야!

미혼의 두 번째 위험한 생각 '좋은 사람이 생기면 결혼해야지!'

결혼을 꼭 해야 하는 건 아니라고 생각했지만 좋은 사람을 만나면 하고 싶다는 생각은 늘 가지고 있었다. 그래서 결혼을 하기 위해서는 좋은 사람을 만나야 했다.

그럼 '좋은 사람'이란 어떤 사람일까?

사실 '좋은'이라는 두 글자에는 매우 많은 뜻이 내포되어 있다.

먼저 보편적으로 모두에게 좋은 사람이 아닌 나에게 좋은 사람이어야 하며 나와 잘 맞아야 한다는 뜻도 포함되어 있다. 그리고 나와 잘 맞는다는 의미는 성격과 가치관이 비슷해야 하며 외모는 내가 선호하는 스타일의 마지노선이면 된다.
그럼 여기까지만 해당하면 끝일까? 여기서 끝이면 그리 어렵지 않을 것 같지만 마지막 조건이 하나 남아있다. 바로 '결혼'하기에 적합한 사람이어야 한다는 것이다. 결혼은 현실이라 현실적인 조건들이 더해지게 된다. 직업, 학력, 자산에 요즘은 부모님의 노후 대책까지 포함된다.

내가 완벽한 사람이 아니듯 나 또한 완벽한 사람을 찾는 건 아니지만 어느 정도는 원하는 조건들에 부합하는 사람을 원한다. 사람을 점수로 평가할 수는 없지만 편의상 점수로 환산해 보자면 100 점을 바라는 건 아니지만 70 점 정도는 됐으면 하는 것이다. 100 점 만점에 70 점이면 크게 어렵지 않을 거 같지만 여기서 까다로운 점이 하나 있다. 총합이 70 점이라하더라도 특정 부분이 너무 떨어지면 '좋은' 사람에서 탈락한다는 점이다.

이전의 내가 원하는 '좋은 사람'은 이랬다.
성격 : 선하고, 성실하며 책임감 있는 사람

학력 : 4년제 대학 졸업

외모 : 키는 170cm 이상의 평범한 외모

직업 : 안정적인 회사를 다니는 직장인

자산 : 과소비하지 않으며 월급에 비례에 성실하게 모은 정도

기타 : 비흡연자이면 좋겠고, 과음하지 않는 사람

이렇게 조건을 정해놓고 사람을 만난 건 아니었지만 내가 어떤 사람을 원하는지 잘 알아야 나에게 맞는 좋은 사람을 만날 수 있을 것 같아 정리해 본 내용들이다. 나 또한 여자 버전으로 변형하면 이 조건들에 대부분 해당했다. 그런데 하나씩 보면 크게 까다로운 조건이 아닌 거 같았는데 현실에서 이 조건들에 맞는 남자를 만나기가 생각보다 어려웠다. 무난한 조건들이라고 생각했는데 다 합치니 특별한 사람의 조건이 느낌이라고 할까?

그런데 여기에는 가장 중요한 조건이 하나 빠졌다.
다름 아닌 '사랑'이다. 아무리 조건이 중요한 시대가 되었어도 여전히 사랑은 결혼의 밑바탕이자 기본 조건이다.
내가 결혼을 안 한 가장 근본적인 이유도 사랑인 것 같다.

사실 정말 사랑하는 사람이라면 총점이 70 점이 아니라 30 점이라도 결혼했을지 모르는데 그런 사람을 만나지 못했다. 40 대인데 사랑까지 원하니 결혼이 더 어려워질 수 있지만 여전히 나는 사랑이 꼭 필요하다고 생각한다. 불꽃같은 사랑이 아닌 은은하게 지속 가능한 그런 사랑말이다. 지금 생각해 보면 상대에 대한 사랑이 부족해서 내가 원하는 '좋은' 사람의 조건들에 대해 타협을 못했던 것 같다.

30 대에도 찾기 힘들었던 좋은 사람을 40 대에 찾는 건 무리이고 욕심이다. 내가 진짜 원하는 1~2 가지의 조건만 맞는다면 부족한 부분들은 서로 채워가면 된다. 마음속으로 부족한 부분은 서로 채워가면 된다고 생각했지만 실상은 조금이라도 조건이 더 좋은 사람을 만나고 싶었던 거 같다. 이제 생각만이 아닌 남아있던 그 욕심도 진짜 버려야 할 때가 왔다.

Chapter 2

결혼을 안 한 거지 못한 게 아니라는 몇 가지 변명들

나의 20 대와 30 대의 삶은 항상 충만하였다.
때로는 일에 빠져 살았고 때로는 여행과 다양한 취미생활로 바쁘게 지냈다.
그래서 외롭지 않았고 결혼은 뒷전이었다.
그러다 어느 날 마흔이 되어버렸다.

직장생활 20 년 차의 라떼는 야근이 일상이었지.

나는 한 회사를 20 년 동안 다니고 있는 직장인이다.

입사할 때 20 년이나 다닐 거라는 생각은 해본 적이 없었는데 하루하루 버티다 보니 어느새 20 년이 되었다. 이런 얘기를 사람들에게 하면 대단하다고들 말한다. 나도 가끔 내가 대단하다는 생각이 들긴 한다. 그런데 가끔 회사가 편해서 오래 다닌 걸로 오해하는 경우가 있는데 그렇지 않다. 십 년이면 강산도 변한다는 속담이 있다. 20 년이니 강산이 두 번 변했을 긴 기간으로 여러 번의 위기가 있었다. 크게는 2 번의 합병과 2 번의 인원 감축이 있었고 다행히 나는 잘 넘겼다. 그리고

20년이라는 긴 시간만큼 회사 환경 또한 참 많이 바뀌었다.

라떼 얘기는 안 하고 싶지만 입사 초기부터 십여 년 전까지만 해도 야근이 일상이었다. 심한 날은 밤을 새우기도 했고, 저녁 8시 퇴근은 야근 축에도 못 끼었다. 워라밸이란 말은 당연히 없던 시절이었다. 지금은 상상도 못 할 일이지만 라떼는 그랬다. 만약 다시 그때처럼 야근해야 한다면 한 치의 미련없이 바로 그만둘 수 있다.
그런데 그때는 야근을 당연시하는 분위기였고, 일도 재미있었으며 체력까지 잘 받쳐줬다. 평일에는 야근이 많은 와중에도 회사 동료나 친구들과 만나 재미있게 놀았고, 틈틈이 취미 생활도 즐겼다. 내가 20년이나 한 회사를 다닐 수 있던 가장 큰 이유 중 하나가 이것 같다. 하루 중 가장 많은 시간을 보내는 회사에서의 시간이 힘들 때도 많았지만 함께 일하는 동료가 많은 위로가 됐다. 그래서 야근이 덜 힘들었고, 퇴근 후에는 그 당시의 핫플레이스에 함께 다니며 즐거운 시간을 보냈다. 야근하면서도 재미있게 놀 수 있는 젊음이라는 힘이 있었고, 마음이 잘 맞는 동료들이 있어서 가능했다. 주말에는 평일에 쌓인 피로를 풀기 위해 하루는 푹 쉬고, 또 하루는 신나게 놀았다.
지금 생각해 봐도 참 행복했던 시절이었다. 드라마나 영화 속에 나오는 커리어 우먼은 아니었지만 열심히 일하며 열심히 놀았다. 한편으로는 한창 예쁜 나이였던 그때 연애에 좀 더 관심을 가졌더라면 지금 혼자가 아니었을 것 같다는 생각이 들기도 한다.
그렇지만 그때의 나는 회사에서 일하는 게 우선순위였고, 친구들과의 만남도 중요했으며 취미 생활도 놓칠 수 없었다. 지나고 보니 가장 활기 넘쳤던 시절이었던 20 대 중반에서 30 대 중반까지의 내 삶은 연애가 없어도 충만했다. 연애가 들어올 틈이 별로 없었고, 굳이 그 틈을 늘리려고 하지도 않았다. 물론, 잠잘 시간이 없어도 연애할 사람은 다 한다. 나도 연애가 우선순위가 아니었을 뿐 연애를 포기한 건 아니었다. 소개팅도 가끔 하고 짧은 연애도 했다.

그러면서 때가 되면 진정한 인연이 올 거라는 근거 없는 믿음을 가지며 즐겁게 살았던 것 같다. 이것도 핑계이긴 한 게 내가 그때 만약 이상형을 만났더라면 열일 제쳐두고 연애에 푹 빠졌을 것이다.
그런데 솔직히 이상형을 만나는 경우가 얼마나 될까?
기혼자들이 이상형을 만나서 결혼했다기보다는 여러 사람을 만나보며 본인과 적당히 잘 맞는 사람과 결혼한 경우가 대부분일 것이다. 나는 이런 과정을 간과한 것 같다.

자폭이지만 연애가 잘 안되는 사람은 다 이유가 있다.

취미 부자하면 또 나지.

나는 호기심이 많고, 열정도 많았다.

그래서 새로운 것을 배우는 걸 좋아했고, 한 번 시작하면 열심히 했다. 야근을 밥먹듯이 하는 와중에도 새벽반 영어 학원과 수영을 다니기도 했다. 회사만 오가는 것도 피곤한 지금은 상상도 못 할 일이지만 그때는 열정이 넘쳤고 그 열정을 받쳐주는 체력도 있었다.

취미 또한 많았다.

집에 있을 때는 책을 읽거나 집 근처 산책을 주로 했고 주말에는 밖으로 나가 다양한 취미 활동을 즐겼다. 20 대 중반부터 30 대 초반까지는 문화생활이 주였는데 영화, 뮤지컬, 연극, 전시회 등에 푹 빠졌다.
특히, 20 대에는 영화 시사회에 참 많이 다녔다.
지금도 영화 시사회가 있지만 그때가 지금보다 훨씬 활성화됐던 걸로 기억한다. 주로 시사회 정보를 알려주는 카페에 가입해서 보고 싶은 영화의 시사회 공지가 뜨면 응모해서 봤었는데 당첨이 꽤 잘되는 편이었다. 그때의 다이어리를 보니 일주일에 두 번이나 당첨된 적도 있었다. 시사회는 보통 평일 늦은 저녁 8 시 이후에 많이 했다. 지금 같으면 아무리 공짜여도 다음 날 업무 스케줄을 고려해 못 가는 날도 있었을 텐데 그때는 야근만 안 하면 무조건 갔다. 그리고 늦은 시간에 하는 게 오히려 야근이 잦았던 내가 보러 가기 좋았던 것 같다. 신나게 시사회를 다니다 지겨워질 무렵, 다른 문화생활에 눈이 가기 시작했다.

고등학교 때 친구의 언니가 공연 관련 일을 했었다. 어느 날 그 언니가 친구에게 초대권을 줬고, 덕분에 처음 뮤지컬을 봤던 것 같다.
제목이 '포비든 플래닛'이었는데 그 당시 최고 뮤지컬 스타인 남경주 배우가 주인공이었다. 그런데 뮤지컬을 다 보고 나니 주인공인 남경주 배우보다 더 눈에 띈 배우가 있었다. 이름도 몰라서 집에 오자마자 폭풍 검색해 보니 지금은 유명 배우인 신인시절의 오만석 배우였다. 여기서도 열정이 발동되어 그날밤 팬카페까지 가입했다. 팬카페에 가입하면 인사글을 쓰는 게 기본 규칙이어서 썼더니 얼마 후, 오만석 배우가 직접 답글을 달아줬었다. 엄청 신기해하며 좋아했던 기억이 난다. 그 이후 오만석 배우가 나오는 뮤지컬을 보러 다니며 본격적으로 뮤지컬에 입문했다. 초반에는 오만석 배우가 나오는 뮤지컬 위주로 가격이 저렴한 소극장 뮤지컬을 봤었는데 볼수록 뮤지컬의 매력에 빠져들며 대극장 뮤지컬도 보기 시작했다.

처음 본 대극장 뮤지컬은 프랑스 내한 뮤지컬인 노트르담 드 파리였다. 이전에 봤던 뮤지컬들도 재밌었다고 생각했지만 노트르담드 파리는 차원이 달랐다. 그래서 3 번이나 봤고 3 번 다 정말 좋았다. 그렇게 나의 뮤지컬 사랑은 시작되었고, 보고 싶은 뮤지컬은 대부분 봤다. 뮤지컬 사랑이 몇 년 지나고 나니 보고 싶은 뮤지컬을 거의 다 봐서인지 아니면 너무 많이 봐서 흥미가 떨어진 건지 재미와 감동이 줄어들기 시작했다. 그러면서 잘 보지 않게 되었다. 영화와 뮤지컬에서 멀어질 무렵부터는 동호회에서 살사를 배우고, 살사가 끝난 후에는 사진에 대해 배웠다. 그 외에도 문화센터에서 베이킹, 메이크업, 타로 카드 등 다양한 영역을 배우며 취미생활을 늘려갔다.

그런데 나의 최애 취미는 따로 있었다. 바로 여행이다.
다른 취미들은 시들해진 것들이 많았지만 여행은 언제나 신나고 즐거웠고 지금도 그렇다. 그동안 다녔던 모든 여행들이 다 좋았지만 유럽여행이 가장 좋았다. 특히, 대도시보다 소도시들이 더 좋았다.
나의 첫 유럽 여행은 28 살 때였는데 TV 와 책에서만 보던 곳을 직접 보며 걸어 다닌다는 것이 신세계였다. 거리가 다 화보 같았고, 영상과 사진으로 담을 수 없는 아름다운 풍경들을 많이 보았다. 비용의 압박과 일주일 이상의 긴 휴가를 내야해서 자주 가기 힘들었지만 코로나 전까지 2~3 년에 한 번 정도는 갔었다.

마지막 유럽 여행은 코로나가 터지기 전인 2019 년 가을에 엄마와 함께 갔었는데 그때의 나를 매우 칭찬하고 싶다. 코로나로 인해 3 년 가까이 해외여행이 어려워진 걸 생각하면 하루라도 더 젊은 날 엄마를 모시고 여행 간 건 정말 잘한 일이었다. 실은 이전에도 엄마와 유럽 여행을 갔었는데 어찌 보면 이건 내가 결혼을 안 해서 가능했던 것 같다. 물론, 결혼 후에도 친정 부모님과 유럽 여행을 갈 수도 있지만 확률이 낮아질 수밖에 없다.

자녀가 결혼이 늦어질 때 가장 좋은 점이 바로 이것이다.
부모님과 함께할 수 있는 시간이 많아서 함께 할 수 있는 것도 많다는 것이다. 덕분에 나도 유럽 여행이라는 큰 효도도 할 수 있었다.
또한, 봄에는 꽃놀이, 여름에는 여름 휴가, 가을에는 단풍 놀이 등을 함께 다녔고, 쇼핑, 맛집, 공연 등 다양한 활동들도 함께하며 즐거운 시간들을 보냈다. 근데 또 더 깊이 생각해 보면 유럽 여행이나 함께 활동하는 시간보다 결혼해서 행복한 가정을 이루는 게 더 큰 효도가 아닐까 싶다. 괜스레 숙연해진다.
그렇지만 인생사 다 가질 순 없다. 이런 효도가 있으면 저런 효도도 있는 법이다. 난 나대로의 방법으로 충실히 효도했다.

내가 봐도 참 부지런하게 다양한 취미 생활을 했던 것 같다.
이렇게 끊임없이 새로운 취미를 가지고 즐겁게 지내다 보니 결혼이 뒷전으로 밀리게 됐다는 변명이 조금은 설득력 있지 않을까? 결혼의 필요성을 느끼지 못했던 그 한 가지가 아쉬울 뿐 재미있고 행복했던 추억들이 참 많다. 결혼을 안 해서 누릴 수 있었던 다양한 취미생활들 이었는데 결혼을 하면 어떠한 형태로 변할지 매우 궁금하다.

결혼하면 알게 되겠지?

외로움 그게 뭔데?

예전에 친한 후배가 나에게 이런 말을 한 적이 있다.

"언니는 진짜 외로움이 없는 사람이구나!"

이 말을 듣고 생각해 보니 나는 한 번도 누군가에게 외롭다는 말을 해본 적이 없었다. 당연히 이 후배에게도 외롭다고 해본 적이 없다. 후배는 많은 사람들이 그러하듯 나도 외로움을 타지만 말을 안 하는 거라고 속으로 생각했다고 한다. 그런데 오랜 시간 나를 지켜봐 온 결과 내가 말만 안 하는 것이 아니라 진짜 외로움이 없는 사람이라는 게 느껴졌다고 했다. 실제로도 그랬다. 한 번도 외롭다는 생각을 해본 적이 없는 것 같다. 내가 외로움을 타지 않았던 이유를 생각해 보니 외로울 틈이 별로 없었다.

입사 후 20년 차인 지금까지 한 회사를 다녔고, 30대 초중반까지는 야근이 일상다반사였다. 지치고 힘들 때는 함께 일하는 동료들과 힘을 주고받으며 즐겁게 일했고, 바쁜 와중에도 다양한 취미생활도 했다. 그리고 기쁨과 슬픔, 짜증까지도 함께 나누는 사이좋은 가족과 함께 살고 있다. 한마디로 외로움이 낄 자리가 없었다.
비유를 하자면 식사를 하고 아무리 배불러도 디저트 배는 따로 남았다고들 하는데 나는 배부르게 식사를 하면 디저트가 들어갈 배가 없는 셈이었다. 마찬가지로 아무리 바빠도 연애는 별개로 진행하는 사람이 많은데 나는 그러지 못했던 것 같다.
근본적으로 나는 연애에 대한 역치가 높은 편이어서 연애의 시작 자체가 어렵고, 임자를 못 만나봐서인지 연애보다 재미있는 것들이 많은 사람이었다. 그렇게 평생 모르고 살 줄 알았던 외로움이 어느 날 갑자기 훅하고 찾아온 것이다.

그동안 회사는 야근으로 늘 바빴고, 재미있는 놀거리도 많았다.
그런데 언젠가부터 워라밸의 중요성이 인식되면서 야근이 줄어들기 시작했고, 동시에 체력도 조금씩 떨어졌다. 자연스럽게 퇴근 후에 노는 날이 점점 줄어들기 시작했고, 급기야 특별한 일이 아니면 평일에 약속을 잡지 않았다. 그와 함께 취미생활도 확 줄어들었다.
회사와 친구들과의 만남 그리고 취미 생활로 충족할 수 있는 감정이 포화상태가 된 느낌이라고나 할까?
드디어 나에게도 외로움이란 감정이 들어올 틈이 생긴 것이다.

뜬금없지만 나의 장점 중 하나가 남과 비교를 거의 하지 않는다는 점이다. 그런데 외롭다는 감정을 느끼자 상대적으로 외로움이 덜 할 것 같은 결혼한 사람들과 비교하기 시작했다.
미혼은 이벤트가 거의 없다. 직장인이면 승진 정도가 있는데 이건 기혼자도 해당된다. 반면, 기혼자들은 이벤트가 참 많다. 결혼이라는 이벤트를 시작으로 대부분의 부부는 임신과 출산에 이어 육아가 시작된다. 그리고 자녀가 성년이 될 때까지 여러 단계를 거치며 계속된다. 힘들고 어려운 과정이지만 큰 행복을 안겨주는 미션들로 인생에 새로운 영역이 계속 생기는 것이다.
그에 비해 미혼인 나는 행복하게 지냈지만 단조로운 삶이 이어지며 권태로움이 시작됐다. 미혼자과 기혼자의 삶이 비교대상이 아니지만 30

대까지만 해도 큰 차이가 없어 보였는데 40 대가 되니 격차가 확 벌어진 느낌이었다. 권태로움에는 새로운 자극이 필요한데 나는 외로움으로 표출된 걸 보니 연애나 결혼이 필요하다는 생각이 들었다.
근데 둘 다 혼자 하는 게 아니라는 큰 문제가 있다.

스물도 서른도 아닌 마흔의 연애와 결혼.
듣기만 해도 어렵다.

그 남자와 결혼하지 않은 이유

인생에 IF란 없지만 만약에 내가 결혼을 했다면 누구랑 했을까? 여러 후보가 있으면 고르는 재미가 있었을 텐데 애석하게 딱 한 사람만 떠올랐다. 공교롭게도 사주에서 결혼운이 있다고 했던 31살 때 만났던 사람인데 회사 후배가 주선한 2 대 2 미팅에서 만났었다. 둘만의 소개팅이 아니라서 서로에 대한 정보는 자세히 몰랐다. 만나면서 조금씩 알게 됐는데 그의 조건과 상황이 그리 좋지 않은 편이었다. 그는 고등학교를 졸업 후, 여러 가지 일을 하다 공항 보안팀에서 일을 하고 있었다. 그가 어릴 적 혼자가 되신 따로 사는 홀어머니가 계셨으며 집안 형편도 썩 좋아 보이지 않았다. 반면에 그는 알아갈수록 내가 남자를 볼 때 중요하게 생각하는 선하고, 성실한 사람이었다. 그렇지만 본능적으로 그와 결혼까지는 어려울 거 같다는 생각이 들었다.

결혼을 꼭 해야 하는 건 아니었지만 좋은 사람을 만나면 하고 싶다는 마음은 항상 가지고 있어서 생각이 많아지기 시작했다. 그래서 그와 만날 때는 즐거웠지만 헤어지고 집에 오는 길에는 고민에 휩싸일 때가 많았다. 그 당시 나의 연애관은 연애가 꼭 결혼으로 이어져야 하는 건 아니지만 결혼을 배제한 연애는 하고 싶지 않았다.
게다가 그와의 연애를 방해하는 요소가 하나 더 있었다.
엄마와 결혼한 베프의 걱정이었다. 유부녀의 입장으로서 배우자의 인성이 매우 중요하지만 결혼은 현실이기에 집안 환경과 직업도 무시할 수 없다고 강조했다. 가장 가까운 두 사람에게 그런 얘기를 들으니 흔들리고 있는 마음에 태풍이 부는 것 같았다. 걱정하는 부분을 자꾸 상기시켜 주니 그 걱정은 더 커져만 갔고, 결국 나는 일이 너무 바빠 연애할 여유가 없다는 이유로 그에게 이별을 고하였다. 내가 그 사람에 대한 마음이 확고했다면 흘려 들었을 결혼한 사람들의 흔한 조언이었는데 그러지 못했다.

그리고 이별을 빨리 결정한 데에는 그를 위한 배려도 포함되어 있었다. 그는 나보다 5살이 많았다. 그래서 내가 결혼 생각이 없다면 빨리 놔주는 게 그 사람을 위하는 길이라고 생각했다. 그가 원하지도 않는 배려심까지 발동하며 그렇게 우리는 헤어졌다.
만약 그때로 돌아간다면 나에게 이렇게 말할 것 같다.

"그 사람이 청혼도 안 했구먼 웬 설레발?
우선 연애나 실컷 즐겨!"

오지 않은 미래에 대한 불안 때문에 너무 이른 이별을 택했다.
서로를 충분히 알고 나서 정해도 되는 문제를 섣불리 결정한 게 지금 생각해도 많이 아쉽고 미련이 남는다. 사람 일 모른다지만 그렇게 헤어지지 않았다면 결혼까지 이어졌을 거 같고 잘 살았을 것도 같다.
물론, 걱정되는 점들이 있었지만 모든 걸 만족하는 결혼이 얼마나 있을까? 그리고 만족하는 결혼이어도 행복한 결혼생활과 이어진다는 보장은 없으며 남들 보기에는 문제가 있어 보였지만 잘 사는 경우도 많다. 가장 중요한 건 나 또한 완벽하지 않다는 걸 종종 잊고 사는 것 같다.

헤어진 몇 달 후 늦은 밤, 그에게서 문자가 왔다. 나는 또다시 거절했고 그렇게 우리는 완전히 끝났다.

다행히 그때의 이별이 귀한 경험이 되어 연애와 결혼에 대한 관점이 달라졌다. 그래서 가장 최근의 연애에서는 결혼에 더 조급한 나이가 됐지만 이전의 경험치로 결혼은 제쳐 두고 행복하게 연애하면서 상대를 지켜보기로 했다. 하지만 아무리 용을 써도 안 되는 게 있다. 안타깝게도 한참 서로 알아가던 시기에 그의 어머니에게 큰 병환이 찾아왔고, 멘탈이 무너져버린 그는 나를 떠났다.
달라진 자세로 좋은 결실을 맺지 않을까 기대했는데 생각지 못한 변수로 헤어져서 한동안 많이 힘들었다. 다행히 '세월이 약'이라는 속담은 한 번도 나를 배신한 적이 없었고, 이번에도 역시 그랬다.
다시 한번 힘과 용기를 내보기로 했다.

나에게는 아직 여러 번의 결혼운이 남아있으니까!

Chapter 3

더 이상 결혼은 선택이 아닌 필수!

남들처럼 때가 되면 할 줄 알았던 결혼을 계속 안 하게 되면서
어쩌면 영원히 안 할 수도 있다는 생각이 들었다.
좋은 사람을 못 만난다면 혼자 사는 것도 괜찮았다.
그러던 어느 날 코로나가 전 세계를 덮쳤고,
그 끝에서 결혼을 해야겠다는 결심을 했다.

코로나로 인해 달라진 결혼관

2019년 12월 중국에서 시작된 코로나는 2020년 전 세계로 퍼지며 팬데믹이 선언되었다. 우리나라에서 첫 코로나 환자가 발생했을 때만 해도 이렇게 긴 시간 우리를 괴롭힐 줄 몰랐다. 길어야 몇 개월 정도에서 끝날 줄 알았던 코로나는 올해 들어서야 잠잠해졌다.

코로나는 그 누구도 예상치 못한 병이었으며 예상치 못한 많은 것들을 바꿔놓았다. 호흡기를 통한 전염병이라 모두 마스크를 쓰기 시작했고, 그와 동시에 기업들의 재택근무도 시작되었다. 내가 근무 중인 회사도 마찬가지였는데 전일 재택근무를 시작으로 코로나 환자 수에 따라 출근 횟수를 조절했다.

코로나의 유행으로 시작된 가장 큰 변화는 생활 반경이 확 줄어들었다는 것이다. 식당이나 카페 이용시간이 제한적이었고, 그마저도 감염의 두려움 때문에 이용을 자제했다. 재택근무로 인해 회사 사람들과도 못 만날 때가 많았고, 식사도 각자 하는 분위기였다. 당연히 외부 활동은 생각할 수도 없었으며 친구를 만나는 것도 금기시 됐다. 집만이 마음껏 활동할 수 있는 장소였고, 함께 사는 가족만이 유일한 소통 창구였다.

예전만큼 다양한 활동을 하지는 않았지만 여전히 나는 활동적인 사람이었다. 처음에는 편해서 좋았던 재택근무였는데 계속 이어지니 답답해지기 시작했다. 내 우울이 시작된 것도 그 무렵부터 인 것 같다. 알게 모르게 생긴 우울감은 코로나 환자수가 정점에 다다르자 함께 절정에 이르렀다. 시도 때도 없이 눈물이 났고, 우울한 생각만 계속 났다. 후회되는 과거의 기억들이 자꾸 떠올라 괴로웠고, 암울한 미래만 예상됐다. 그리고 전일 재택근무 기간이라 근무 시간에도 마음껏 울 수 있다는 것도 우울에 빠져드는 데 한몫 했다. 출근이라도 하면 우울함을 최대한 감추며 동료들과 만나서 조금은 덜어낼 수 있었을 것 같은데 그럴 수 없었다.

그렇게 우울감은 계속 쌓여만 갔다.

그나마 위로가 되는 건 나만 이렇게 심한 우울을 겪는 게 아니라는 것이었다. 전 세계적으로 코로나로 인한 우울증세인 코로나 블루가 큰 문제였다. 우리나라도 코로나 블루로 인한 심리 지원을 강화한다고 했다. 나도 만약 이렇게 우울감이 지속된다면 상담을 받아봐야겠다고 생각했다.

그러던 어느 날, 불현듯 이렇게 일만 하다 죽을 수도 있겠다는 생각이 처음 들었다. 인생의 새로운 돌파구가 필요했고, 머릿속에 떠오른 돌파구는 다름아닌 결혼이었다. 가족과 친구, 회사, 그리고 다양한 취미생활이 채워주지 못하는 그 무언가가 바로 인생의 동반자라는 사실을 깨달은 것이다. 나이가 들면서 희미하게 보이기 시작한 내 인생의 빈자리가 뭔지 확실히 드러나는 순간이었다.

우울증 상담 대신 자가 치료 방법을 찾았다는 생각이 들어서일까?

신기하게도 우울감이 조금씩 가시기 시작했다. 코로나로 인해 이제 결혼은 안 할 수도 있는 게 아니라 꼭 해야 하는 걸로 바뀌었다.

전염병 하나가 사람의 가치관까지 바꿔놓다니 코로나는 여러모로 대단한 병이었다.

나의 결혼에 대한 결심은 이렇게 시작되었다.

결론은 '결혼을 안 해서'이다.

나와 동갑인 친한 회사 동료가 한 명 있다. 싱글인 그녀와 나는 회사 소식부터 취미, 고민, 관심사 등 다양한 이야기를 나누는데 얼마 전부터 부동산에 대해서 자주 이야기하기 시작했다. 둘 다 가족과 함께 살고 있고, 독립 계획이 없어서 내 집 마련에 크게 관심이 없다는 공통점이 있었다. 가족과 함께 산다고 해서 모두 내 집 마련에 대한 관심이 적은 건 아니지만 그녀와 나는 그랬다. 그리고 오를 대로 올라버린 집값을 보며 위기감도 함께 느끼며 조금씩 내 집 마련에 관심을 갖기 시작했다. 부동산 공부의 시작으로 관련 도서를 읽으며 부동산 뉴스와 유튜브를 보기 시작했고, 좋은 정보가 있으면 서로 공유했다.

얼마 전에는 부동산 이야기 중 내 집 마련에 관심을 두지 않았던 이유에 대해 이야기했는데 놀랍게도 이유가 같다는 사실을 알게 되었다. 다름아닌 결혼 때문이었다. 둘 다 결혼을 준비할 때 또는 결혼 후에 남편과 함께 내 집을 마련할 거라는 막연한 기대를 하고 있었던 것이다. 계속 늦춰지고는 있지만 언젠가는 나도 남들처럼 결혼할 거라는 믿음이 마음 깊은 곳에 깔려 있었고, 한 번도 의심하지 않았다. 이렇게 40 대가 되어서도 결혼을 안 했을 거라고는 전혀 예상하지 못했다. 오래전부터 내집 마련과 결혼을 연관 지어 놓았기 때문에 집을 사지 않은 건 어찌보면 당연한 결과였다. 물론, 결혼한 사람들이 전부 내 집 마련을 하는 건 아니지만 결혼할 때 가장 먼저 준비해야 할 것이 집이다. 그래서 무리해서라도 샀을 가능성이 높다는 생각을 했다. 놀랍게도 이 생각까지 그녀와 나는 같았다. 만약 우리가 결혼을 했다면 집을 샀을까?

그 이야기를 하고 얼마 후, 회사에서 큰 스트레스를 받아서 퇴사를 심각하게 고민했다. 엄마와 친한 친구에게 퇴사 고민을 털어놓았는데 위로와 함께 공통적으로 하는 조언이 있었다.

'정 힘들면 관둬야지.

근데 결혼하기 전까지 좀 더 버텨보는 게 어때?'

결혼을 안 해서 내 집 마련을 못했다는 결론이 나왔는데 퇴사도 결혼을 안 해서 못하게 되는 것인가?

나는 좋은 사람을 만나 결혼하고 싶다는 마음을 가지고 있지만 현실적으로 40 대에 새로운 누군가를 만날 기회 자체가 매우 적다는 걸 잘 알고 있다. 그런데 맞벌이가 당연시되는 요즘 시대에 직업이 없어진다면 그 적은 기회마저 더 줄어들 것이다. 직장생활을 꾸준히 하고 있다는 점이 나를 어필할 수 있는 장점 중 하나인데 그만두면 타격이 너무 클 것 같다. 그래서 이 조언들을 무시할 수가 없었다.

그럼 내가 결혼을 했다면 내 집을 마련하고, 힘들 때 퇴사도 바로 결정할 수 있었을까? 그 답에 대해 깊게 생각해보니 그럴 수도 있고 아닐 수도 있다는 애매한 결론이 나왔다. 서로의 경제력이 충분해 내 집 마련을 하고 결혼생활을 시작할 수도 있고, 돈이 많이 모자라 못 샀을 수도 있다. 또는 가파르게 오른 집값을 보며 타이밍을 기다리고 있을 수도 있다.

퇴사도 마찬가지이다. 맞벌이를 해야만 하는 경제상황이라면 그만둘 수 없을 것이고, 경제적 이유가 아니어도 남편이 반대할 수 있다.

오히려 퇴사는 혼자인 지금이 더 결정을 하기 쉬운 조건일지도 모른다. 그리고 위의 예시들은 일반적인 상황일 뿐이고, 이 외의 경우의 수는 너무도 많다.
이렇게 다양한 가정을 뒤로하고 현재의 나를 자세히 들여다보니 결혼을 안 해서 내 집 마련을 못했고, 퇴사도 못한다는 결론은 좋은 핑계였다. 너무 올라 살 엄두가 나지 않는 집값을 보며 후회하는 나에게 그럴듯한 이유를 만들어 준 것이고 퇴사 또한 뚜렷한 대안 없이 그만두는 게 두려워서 찾은 내가 회사를 계속 다녀야 하는 이유였다.
그리고 결혼이 내 인생에서 이렇게 중요한 영향을 끼치는 원인이라면 진작 결혼을 했어야 했는데 이제 와서 핑계 대는 것도 우스웠다. 본질적인 문제를 회피하려는 나의 부끄러운 민낯을 본 것 같았다. 회피하는 나를 봤으니 바야흐로 정면 돌파하는 나를 볼 차례이다.

늦은 감이 없지 않지만 지금부터라도 내 집 마련에 대해 여러 방면으로 공부하면서 기회를 잡아 보려고 한다. 퇴사도 체계적으로 준비하여 퇴사가 간절해지는 순간 신속한 결정을 내릴 수 있도록 대비하겠다. 결혼 여부와 상관없이 충분히 잘 해낼 수 있다.

하지만 혼자가 아닌 둘이 함께 한다면 더 좋은 결정을 할 수 있지 않을까? 그런데 이 부분은 결혼을 해봐야만 확인해 볼 수 있다.

그래서 나는 결혼을 해봐야겠다.

나도 아킬레스건에 선크림 발라주면 결혼할 수 있을까?

얼마 전 방송인 제이쓴이 개그우먼 홍현희와 결혼을 결심한 계기를 기사에서 봤다. 홍현희가 자신의 얼굴을 시작으로 아킬레스건까지 정성스럽게 선크림을 발라주는 모습을 보고 자기를 정말 많이 생각해준다는 걸 느껴서 결혼 결심을 했다고 한다.

결혼이 이렇게 쉬운 거였나?

생각해보니 나도 선크림은 아니지만 뾰루지 패치를 붙여주고, 귀지도 파줬는데 나는 왜 그 사람과 결혼을 못한 걸까?

처음부터 제이쓴의 이상형이 아킬레스 건에 선크림 발라주는 여자는 아니었을 것이다. 홍현희를 많이 사랑하고 있는 상태에서 아킬레스 건까지 정성스레 선크림을 발라주는 모습을 보았고, 그 순간 '결혼'이라는 스위치가 켜진 것이다. 어쩌면 누군가에게는 유난스럽게 느껴질 수 있는 그 행동이 찐 사랑에서 나온 것임을 알아봐 준 것이다. 제이쓴과 달리 나의 전 남자친구는 뾰루지 패치를 붙여주고, 귀지를 파줬을 때 고맙다고만 느끼거나 보통 연인들의 애정 표현 정도로만 생각했던 것 같다.

이렇게 비슷한 행동을 했지만 누구에게는 결혼을 결심하는 계기가 되었고, 또 다른 누군가에게는 특별하지 않은 일상의 한 부분으로 지나갔다. 다른 사람들에게는 별 게 아닐 수 있지만 나의 눈에는 다르고 좋게 보이는, 말로 설명할 수 없는 특별한 것들이 있다. 그런 말이나 행동을 상대에게 했을 때 그 상대가 알아봐 주는 것이 서로의 진정한 짝이 아닐까?
친구들 중 남편을 대학원에서 만나 결혼한 친구가 있다. 그래서 그 친구는 남편과 겹치는 지인들이 많았다. 지인들은 친구 남편을 좀 까칠한 편이라고 했지만 친구는 그런 남편의 모습이 꾸밈없고, 진실해 보여서 좋았다고 했다. 결혼한 지 10년이 넘은 지금도 여전히 그런 모습을 좋아하며 잘 살고 있다. 연애나 결혼에 있어서 주위 사람들의 의견에 휩쓸리기 쉬운데 친구는 그렇지 않고, 자기와 잘 맞는 사람을 잘 고른 것이다. 내 친구처럼 나와 맞는 한 사람만 찾으면 되는데 그 한 사람을 찾는다는 것이 왜 이렇게 어려운지 모르겠다. 그리고 이렇게 나와 잘 맞는 사람을 만나 모두에게 축복받는 결혼을 한다 해도 결혼 생활은 또다른 영역이다.

나이차가 많이 나는 친한 남자 선배가 있었다. 결혼적령기가 되자 결혼 소식과 함께 결혼할 언니를 소개해줬다. 소개팅으로 만난 두 사람은 두 번째 만났을 때 서로 결혼할 사람이라는 확신이 들었다고 했다. 두 번의 만남으로 결혼을 확신했다는 게 신기했는데 그 언니와 얘기를 나눠보니 그 이유를 알 수 있었다. 선배는 꼼꼼한 성격에 말을 늘어지게 하는 스타일이었는데 언니는 털털한 성격에 선배의 말이 길어지는 순간이 오면 자연스럽게 통제하며 일목요연하게 정리해줬다. 서로의 부족한 점을 채워주는 정말 잘 어울리는 커플이었다.
선배 커플을 보며 나도 서로 부족한 점을 채워줄 수 있는 사람과 결혼해야겠다는 생각을 처음 했던 것 같다. 시간이 지나 언니는 첫 아이를 출산했고, 선배 부부는 육아로 바쁘고 나는 일이 바빠지며 연락이 뜸해졌다. 그리고 몇 년이 지나 선배와 만났는데 반가움도 잠시, 너무나 충격적인 소식을 전했다. 나에게 처음으로 결혼의 로망을 꿈꾸게 했던 선배 부부가 이혼을 했다는 것이다. 그런데 이혼 사유는 더욱 충격적이었다. 다름아닌 언니의 바람이었다. 그것도 한참 어린 남자와 말이다.

두 번째 만남에서 서로 결혼할 사람이란 걸 알아봤던 너무 잘 맞아 보였던 부부가 이혼한 걸 보고 나니 결혼 생활이라는 게 얼마나 어려운 건지 아주 조금은 알게 되었다. '결혼'이라는 스위치가 눌리기까지의 과정도 어려운 일이지만 켜진 불을 유지하는 게 훨씬 더 힘든 일이라는 것도 깨달았다. 시간이 지나면 그 불은 희미해지고, 언젠가는 꺼질 것이다. 그래서 그 불이 꺼지지 않도록 수시로 살펴봐야 하며 희미해지거나 깜박이면 빨리 보수를 해줘야 한다. 결혼생활이라는 불을 유지하기 위해 서로 얼마나 이해와 노력 그리고 희생이 필요할지 결혼 안 한 내가 다 알 수는 없지만 어렴풋이 알게 되었다.
나에게도 '결혼'이라는 스위치가 번쩍 켜지는 순간이 올까?

아직 스위치 근처에도 못 간 것 같아 걱정스럽기는 하지만 분명히 그때가 올 거라 믿고 있다. 그리고 언제 어디에서 나타날지 모를 그를 만나기 위해 다방면으로 노력하고 있다. 내가 찾은 그 사람도 나를 알아봐서 함께 '결혼'이라는 스위치가 켜질 그날을 기다리며 오늘도 나는 충실히 나의 삶을 살아가고 있다.

참고로 나는 아킬레스 건이 아닌 발등까지 선크림 잘 발라주고, 귀지도 시원하게 잘 파줄 수 있다.

피부과 시술이냐 결정사냐,
그것이 문제로다!

날씨가 부쩍 따뜻해지는 걸 보니 봄이 오는 것 같다.

내 마음에도 봄바람이 부는 걸까? 화사한 봄 옷 신상에 눈길이 가고, 나들이 가고 싶은 마음이 생기기 시작했다. 근데 화사한 봄 옷을 새로 사도 회사에나 입고 갈 테고, 나들이는 친구나 가족과 함께 가게 될 것이다.

마음 한 편이 조금 씁쓸해진다. 회사 동료나 친구, 가족이 아닌 그 누군가와 함께 새 옷을 입고, 화사하게 나들이 가고 싶은 마음이 깔려 있던 것 같다. 예전에는 계절 감각도 별로 없고, 예쁜 옷을 보면 사고 싶다고만 생각했지 이렇게 유기적인 생각들로 이어지진 않았는데 나이가 들면서 감성과 생각도 달라짐을 느끼고 있다. 그리고 코로나로 인해 단절되었던 새로운 만남을 위해 미리 준비해야겠다는 생각이 들었다.

초면에는 남자건 여자건 외모가 중요하다. 거울을 보니 그동안 마스크로 가리고 다녀서 별로 관심을 두지 않았던 피부가 신경 쓰였다. 40대가 되니 피부 탄력이 예전 같지 않다. 언제 새로운 기회가 다가올지 몰라 미리 준비해두는 게 좋을 것 같아 피부과를 알아보니 내 상태에 딱 맞는 시술이 있었다. 문제는 내 월급과 맘먹는 큰돈이었다. 이렇게 큰돈을 투자했는데 예상보다 늦게 새로운 사람을 만난다면 만나기도 전에 시술 효과가 끝나버릴 수도 있다. 좀 더 확실한 시기를 알아야 했다. 소개팅이나 맞선은 이제 잘 안 들어오고 언제 들어올지도 모른다. 그래서 내가 직접 만남을 만드는 방법 밖에 없다고 결론 내리고 찾아보기로 했다.

그런데 이 나이에 길거리 헌팅을 할 수는 없어서 가장 현실적이며 확실한 방법을 찾아야 했고, 그 방법이 결정사(결혼정보회사)였다. 그런데 결정사는 비용이 많이 비싸다는 단점이 있었고, 안 좋은 후기들도 많이 보았다. 그리고 주위 사람에게 추천받은 적이 있는데 내 나이대에는 매칭 자체가 어려울 것 같아서 가입 생각이 전혀 없었다. 하지만 상황이 이렇다 보니 처음으로 가입에 대해 생각해 보게 됐다.

실은 이렇게 결정사 가입을 진지하게 고려하게 된 데에는 결정적인 이유가 있었다. 최근 나와 비슷한 상황인 친구 2 명이 가입을 한 것이다. 2 명 모두 결혼에 대해 나와 비슷한 생각을 가지고 있었는데 더 이상 손 놓고 있을 수만 없다고 판단해서 가입을 한 것이었다. 그중 한 명은 동네 친구가 결정사에서 만나 얼마 전 결혼했다는 이야기를 듣고 마음을 정했다고 한다.

인터넷이나 건너 건너의 누군가가 아닌 나의 친한 친구들이 가입한 걸 보니 마음이 기울어지기 시작했다. 금액도 금액이지만 결정사 가입이 꺼려졌던 가장 큰 이유가 매칭이 어려울 거 같아서였는데 내 나이 또래에도 좋은 결과가 있다는 소식을 들으니 많이 흔들렸다. 먼저 정확한 가입비를 알아보았고 피부과 시술과 비슷했다. 피부과 시술을 받고, 결정사를 가입한다면 두 달치 월급을 투자하는 셈으로 부담이 많이 된다. 그런데 시술을 한다고 해서 얼마나 효과를 볼 수 있을지 모르고 결정사 또한 좋은 사람을 만난다는 보장이 없다.

결과를 보장할 수 없는 상태에서 동시에 두 가지 모두에 투자하는 건 부담이 너무 컸다. 그럼 둘 중 하나를 선택해야 하는데 피부과 시술은 새로운 만남의 기회가 없다면 굳이 지금 큰돈을 들일 필요가 없을 것 같았다. 나 혼자만이라도 시술 효과가 만족스러우면 되지만 그러기에는 소비가 너무 크다. 그렇다고 결정사 가입을 하게 된다면 만나기 전에 피부과 시술을 받는 것이 좋을 것 같았다. 금액만 생각하면 둘 중 하나를 선택해야 하는데 결과적으로 보면 피부과 시술만 받느냐 또는 피부과 시술 + 결정사 가입이냐 이렇게 나뉘었다. 상관관계가 전혀 없을 것 같은 피부과와 결정사를 두고 고민하게 되는 일이 생기다니 놀라울 따름이다.

진작 지금처럼 결혼에 관심을 가졌다면 피부 탄력 때문에 피부과 시술에 대한 고민을 하지 않거나 결정사까지 가지 않아도 됐을지 모른다. 생각은 꼬리에 꼬리를 물며 이렇게 의미 없는 후회까지 하고 있었다. 우선 급한 건 만남이니 친구들의 결정사 후기를 들어보고 결정사 가입 여부를 결정하기로 했다. 지인들에게 좋은 소식을 듣고, 나도 빨리 좋은 만남을 가지기를 기대해 본다.

최후의 보루였던 결혼정보회사에 가다!

결혼정보회사에 간다는 건 나에게 큰 의미가 있었다.

결혼에 대한 나의 가장 강력한 의지이자 노력이며 마지막 카드라고 생각했기 때문이다. 그래서 한편으로는 가고 싶지 않았다. 여기서도 성공하지 못한다면 더 이상 남은 카드가 없다는 뜻이기 때문이었다.

하지만 가까운 친구들이 가입한 걸 보니 나도 언제까지 미룰 수만은 없어서 큰 맘먹고 결혼정보회사를 가보기로 했다.

가장 먼저 할 일은 수많은 결혼정보회사 중 어디를 가볼지 골라야 했다. 아무래도 회원 수가 많아야 선택의 폭도 넓을 거 같아 대형 결혼정보회사로 예약했다. 처음에는 소규모 결혼정보회사도 한 곳 더 상담 받아보려고 했는데 한 번 상담 받아본 후 가봐도 늦지 않을 것 같아서 우선 보류했다.
결혼정보회사는 최후의 보루였던 만큼 바로 가입을 할 생각은 아니었다. 우선 전반적인 설명을 듣고, 내가 어떤 사람을 만날 수 있는지와 실제 사례 등을 알아보려는 가벼운 마음으로 방문했다. 그러나 가벼웠던 시작과 달리 상담이 진행될수록 마음이 무거워졌고, 그제야 상담 방문은 가벼운 마음으로 올 곳이 아니라는 걸 알았다.

상담 매니저는 나에게 왜 이제야 왔냐는 말로 가볍게 대화를 시작했고, 나는 솔직하게 대답했다. 막연하게 좋은 사람이 있으면 결혼하고 싶다는 생각만 했었는데 최근에 결혼을 꼭 해야겠다는 마음이 생겨서 왔다고 했다. 상담 매니저는 이제라도 와서 다행이라며 본인이 성심껏 도와서 좋은 사람 소개해 주겠다고 하면서 나를 회원님이라고 불렀다.

'저 아직 가입 안 했는데요?'

이제 상담 시작인데 이미 가입을 확정한 거 같은 분위기로 흘러가는 것 같아 부담스럽기 시작했지만 회원님이라는 호칭이 불편하다고 말하기는 좀 그랬다. 그리고 그분 입장에서는 거리감이 느껴지는 OOO 님보다는 회원님이라는 호칭이 좀 더 친근해 보이고 '회원'이라 단어를 자연스럽게 주입하여 가입을 유도하려는 목적도 있었을 것 같다.

본격적인 상담이 시작되자 나의 구체적인 프로필에 대해 물어봤다. 회사, 사는 곳, 가족 관계, 종교, 경제 상황 등 기본적인 것부터 시작하여 나에 대해 여러 가지 질문을 했고, 드디어 제일 궁금했던 내가 만날 사람들에 대한 이야기가 시작됐다. 원하는 키와 학력, 직업군, 나이차와 남자의 어떤 점을 중시하는지 등에 대한 대답을 했다. 나이는 또래를 선호한다고 했는데 내가 원하는 조건의 사람을 중점적으로 찾아보겠지만 결혼정보회사에서는 남자가 3~4 살 많은 게 대부분이며 5 살 많은 사람을 만나는 경우도 꽤 있으니 참고하라고 했다. 그리고 서로 원하는 조건들이 아니었는데도 성혼한 사람들의 사례를 이야기해 줬다.

결혼정보회사라고 내가 원하는 조건의 사람만 만날 수 없다는 걸 잘 알고 있다. 선호한다는 조건은 있지만 좀 더 폭을 넓혀 사람을 만나 볼 용의가 있다. 그리고 이건 내가 나이가 좀 많은 편이어서 질문한 것 같은데 상대가 재혼이어도 괜찮은지에 대해서도 조심스럽게 물었다. 나는 초혼을 만나고 싶은데 재혼도 고려해야 하냐고 되물었다. 되도록 초혼을 추천하겠지만 나이대가 있다 보니 괜찮은 재혼도 추천할 수도 있다고 했다. 이 부분은 좀 더 생각해 볼 문제였고, 가입할 때 내 의견을 얘기하면 될 듯했다.

이런저런 질문들과 대답들이 계속 오가며 성혼 사례들을 중간중간 함께 들으니 어느새 나는 가입의 문턱까지 갔고, 내 앞에는 계약서가 놓여 있었다. 계약서를 보고 정신을 차린 나는 좀 더 생각해 보겠다고 했다. 이런 상황이 익숙한 듯 상담 매니저는 길게 생각한다고 답이 나오는 게 아니라며 마음먹었을 때 바로 결정하는 게 좋은 거라며 설득하기 시작했다. 그리고 하루라도 빨리 가입하는 게 더 좋은 조건의 사람을 만날 수 있다는 말도 덧붙였다. 맞는 말이긴 했다. 하지만 이미 정신을 차린 나는 그 설득에 넘어가지 않았고, 오늘은 상담만 받으러 온 거라서 생각할 시간이 꼭 필요하다고 하고 그곳을 빠져나왔다.

상담만 받으려고 방문했는데 1 시간 넘게 이야기를 나누다 보니 자연스럽게 가입 수순을 밟고 있었고, 계약서에 사인하지 않으면 상담 매니저가 정성스레 차려놓은 밥상을 엎는 것 같은 압박감도 느껴졌다. 다행히 나는 '오늘은 무조건 상담만'이라는 명확한 기준을 가지고 방문해서 사인 전에 멈췄지만 가볍게 상담 받으러 왔다면 분위기에 휩쓸려 사인했을 것 같다.

아마도 상담 후 바로 가입으로 이어지지 않으면 가입률이 확 떨어지기 때문에 상담 매니저는 바로 계약서에 사인을 받으려고 안간힘을 썼을 것이다. 결국 내 의지대로 가입하지 않았지만 그 과정이 힘들어서 집에 오자마자 드러누웠다. 총 1시간 반 정도 상담을 했는데 4시간은 한 기분이었다. 나도 꽤 말을 잘하는 편이지만 상담 매니저에 비할바가 아니었다. 그러니 나처럼 상담만 원하거나 마음이 약한 사람은 대면 상담보다는 전화 상담이 나을 것 같다. 아무래도 얼굴을 안 보는 게 거절하기 좀 더 수월할 테니까.

결혼정보회사는 결혼하고 싶은데 만날 사람이 없는 사람들에게 돈을 받고 사람을 소개해 주는 곳이다. 돈을 지불하는 대신 소개팅이나 선에서 상세하게 말하기 어려운 조건에 맞춰 만남을 주선한다. 그리고 소개팅이나 선의 주선자에게는 들을 수 없는 디테일한 정보까지 함께 준다. 이런 강점들이 있는 반면에 내가 원하는 조건을 얼마큼 맞춰줄지 알 수 없으며 안 만나느니 못한 사람을 소개받을 수도 있다. 큰돈 쓰고 기분 상하는 최악의 경우도 생길 수 있다는 뜻이다.

상담을 받고 나면 바로 결정할 수 있을 줄 알았는데 고민이 더 커졌다. 한 살 더 먹기 전 가입하는 게 좋을 것 같으면서도 나와 잘 맞는 사람을 만난다는 보장도 없는데 적지 않은 가입비를 내야 하니 결정이 쉽지 않다. 장고에 악수 둔다는 말이 있듯이 너무 길게 고민하지 않으려고 한다. 이달 안에 결정을 내리기로 했다. 나의 최후의 보루였던 결혼정보회사가 진짜 최후로 마무리될지 다시 마지막 카드로 남을지 최종 선택만이 남았다.

결혼정보회사에 가입한 친구가 결혼을 한다.

친구의 적극 추천으로 최후의 보루였던 결혼정보회사 상담을 받았었다. 그리고 심사숙고 끝에 가입하지 않기로 결정했다. 내가 원하는 사람을 만날 가능성이 매우 낮을 것 같아서였다. 혹시나 이 글을 읽는 분들이 오해할까 봐 하는 말인데 결정사에서 이상형을 만날 수 있을 거라고 생각해서가 아니다. 직접 상담을 해보니 결혼정보회사는 초혼의 비슷한 또래의 남자를 만나고 싶은 40 대 여자에게 호의적인 곳이 아니라는 걸 느꼈기 때문이다.

내가 상담 받았던 결혼정보회사의 회원수는 약 3 만 5 천여 명이다.

대략적으로 남자와 여자를 반으로 나누면 남자는 1 만 7 천 명 정도이다. 40 대 이상 남자가 15%라고 하는데 그럼 2,500 명 정도 된다. 얼핏 보면 많은 숫자이지만 나보다 어린 40 대부터 50 대 이상과 재혼도 포함이기 때문에 실제적으로 내가 원하는 또래 남자는 250 명도 안될 수 있다. 거기다 내 나이를 선호하지 않는 남자들을 빼면 그 수는 더 줄어들 것이다. 나이만으로도 이렇게 많이 걸러지는데 직업, 외모 등의 다른 조건까지 더해지면 실제로 나에게 매칭되는 남자가 몇이나 될까 싶었다. 딱, 한 사람만 만나면 되지만 그 한 사람을 만나기 위해 적지 않은 비용과 많은 에너지를 수반해야 하는데 그에 비해 선택권은 너무 적다는 생각이 들었다. 이런 이유로 나는 결혼정보회사 가입을 포기했었다.

그런데 얼마 전, 나에게 결혼정보회사를 추천했던 친구가 결혼정보회사에서 만난 남자와 결혼한다는 좋은 소식을 전했다. 잘 만나고 있는 건 알았지만 이렇게 빨리 결혼 소식을 전할 줄은 몰랐다. 시작부터 결혼을 전제로 만나서인지 일사천리로 진행된 것 같다. 인터넷썰도 한 다리 건너 아는 사람 이야기도 아닌 내 친구가 결혼정보회사에서 만난 사람과 결혼을 한다니 신기하면서 '나도 가입했어야 하나?'라는 생각이 들었다. 하지만 결과론적인 이야기이다. 이 친구도 처음부터 좋은 사람을 만난 게 아니었고, 이상한 사람들도 만나서 맘고생을 했었다. 그리고 결혼정보회사에 가입한 또 다른 친구는 아직 좋은 사람을 못 만나서 마지막 매칭을 기다리고 있다.

그렇지만 결혼 소식을 들으니 마음이 흔들리기 시작했다. '포기했던 결혼정보회사를 다시 고민해봐야 하나?' 하는 생각이 들기 시작하던 차에 결혼정보회사에서 연락이 왔다. 담당 매니저가 바뀌었다며 프로모션과 혜택을 안내해 주겠다고 했다. 상담한 기록이 있으니 잠재고객으로 분류하여 관리하는 것 같았다. 다른 때 같았으면 그냥 지나쳤을 텐데 결혼 소식을 들어서인지 신경이 쓰였다.

'혹시 가입하라는 하늘의 뜻이 아닐까?'

말도 안 되는 의미부여를 했다가 우연히 시기가 겹친 것뿐이라며 고개를 절레절레 흔들었다. 너무 감정에만 치우치는 것 같아서 좀 더 이성적으로 생각해 보니 결혼하는 친구와 나의 가장 큰 차이점이 생각났다. 바로 나이였다. 그 친구는 동갑 친구가 아닌 30 대 중반의 동생이었다. 결혼 시장에서 30 대 중반과 40 대는 큰 차이가 있다는 건 굳이 설명하지 않아도 모두들 알고 있다. 내가 결혼정보회사 가입을 포기한 가장 큰 이유가 내 나이였던 게 이제야 떠올랐다. 싱숭생숭해진 나의 꼬리에 꼬리를 물던 생각들은 결국 결혼정보회사 가입을 포기했던 때의 결론으로 돌아갔다. 어차피 똑같은 결론인데 괜히 고민했다는 생각이 드는 순간 결혼하는 친구와 마지막 매칭을 기다리는 친구가 공통적으로 했던 말이 생각났다.

"여기 아니면 만날 수 있는 경로가 없잖아."

소개팅이나 선은 한계가 있고, 동호회나 소개팅어플도 있지만 신분이 확실치 않다는 단점이 있다. 그래서 결혼하는 친구는 결혼할 사람과 여기 아니면 우리가 어떻게 만날 수 있었겠냐며 결혼정보회사에 가입한 걸 서로 감사하고 있으며 마지막 매칭을 앞둔 친구도 아직 좋은 사람은 못 만났지만 이렇게나마 만날 수 있어서 가입을 후회하지 않는다고 했다.

'인생은 B(Birth)와 D(Death)사이의 C(Choice)이다.'

사르트르의 명언에 또 한 번 감탄하며 지난날 내가 했던 선택을 다시 생각해 보게 됐다. 분명 그때의 나는 최선을 다한 선택이었을 텐데 다시 고민하게 하는 상황이 생기다니 인생 참 얄궂다. 어쩌면 다시 고민

한다는 자체가 이미 한쪽으로 기운 것 같기도 하다.

다시 선택의 기로에 선 내가 이번에는 다른 선택을 할까?

나도 몹시 궁금해진다.

Chapter 4

나이 들수록 결혼이 어려워지는 이유들에 대하여

'나이가 깡패'라는 말이 있다.

젊은 나이가 큰 무기가 된다는 뜻이다.

젊을 때는 몰랐지만 한 살 한 살 나이가 들면서 크게 와닿았다.

특히, 결혼에 관해서는 더욱 그랬다.

결혼 안 한 40 대의 현실과 그들을 바라보는 편견

나는 어릴 때부터 책 읽기를 좋아했다. 동화를 시작으로 주로 소설을 읽었는데 고등학생 때는 에세이를 더 많이 읽었다. 그때 읽은 에세이들 대부분 기억이 잘 안 나지만 지금도 또렷이 기억나는 내용이 하나 있다. 40 대 여성이 쓴 에세이였는데 책 내용 중 나이 듦에 대한 부분이 있었다. 본인은 30 대 때보다 40 대인 지금의 나이가 훨씬 더 좋다고 했다. 그 책을 읽고 난 후, 먼 미래이지만 나도 40 대가 되면 그럴 줄 알았다. 그런데 막상 40 대가 되어보니 그렇지 않았다.

내가 느낀 40 대는 이랬다. 마흔이 된 순간부터 나이가 들었다는 체

감이 오기 시작한다. 가장 먼저 보이는 건 외모의 변화이고, 그다음 체력과 마음에서도 서서히 느껴지기 시작한다. 하지만 인정하고 싶지 않다. 나는 아직 젊은것 같고, 더 이상 젊지 않다는 걸 인정하는 순간 늙어버릴 것 같아 차마 그러지 못한다. 젊음은 거의 다 사라져 가고 있는데 늙음은 아직 오지 않은 그런 상태라고나 할까? 거기다 나는 뒤늦게 결혼이 꼭 하고 싶어졌다는 특이사항도 있었다.

그럼 결혼 생각이 있는데 결혼하지 않는 40 대를 사람들은 어떻게 생각할까? 내가 생각할 때는 결혼하지 않은 이유를 크게 2 가지로 보는 것 같다.

1. 눈이 너무 높다.

2. 결혼이 어려운 치명적인 이유가 있다.

내가 봐도 신빙성이 높은 추론이다. 실제로 이런 이유들이 많으며 주위 사람이라면 어느 정도 알 수 있다. 그럼 40 대 중에서도 외모, 직업, 자산, 성격 등 모든 조건을 다 갖췄는데 결혼을 안 한 사람은 어떻게 생각할까?

1 번의 이유면 본인이 잘났으니 그러려니 하겠지만 그게 아니라면 분명 다른 이유가 있을 거라는 생각을 한다. 그리고 그 이유가 결혼할

좋은 사람을 못 만나서라기보다는 겉으로 드러나지 않은 2 번의 이유가 있을 거라고 추측한다. 그런데 웃긴 건 나도 그런 생각이 든다는 것이다. 부족할 것 하나 없는 사람이 왜 결혼을 안 했는지 너무 궁금할 것 같다. 같은 40 대 미혼인 나도 이런 편견을 갖게 되는 걸 보니 40 대에 결혼을 안 한 사람에 대한 고정관념은 생각보다 뿌리가 깊은 것 같다. 그 뿌리를 내가 뽑을 수도 없고, 뽑을 생각은 더더욱 없다. 미혼율이 꾸준히 높아지는 추세이니 그 뿌리도 조금씩 약해질거라고 예상할 뿐이다. 그리고 이미 나는 결혼에 있어 비주류의 길을 걷고 있다. 결혼을 해야겠다는 마음을 먹은 이상 결혼을 위한 나만의 행보는 계속될 것이다.

주류든 비주류든 원래 인생은 마이웨이니까!

너만 동안이니?
나도 동안이야.

언젠가부터 우리나라는 동안에 집착하는 나라가 되어버렸다. 연예인들의 기사에 동안은 빠질 수 없는 단어가 된 지 오래다. 그리고 연예인들보다는 기준이 약하지만 일반인들에게도 적용하고 있다. '동안이시네요.'라는 말은 흔한 인사말 중에 하나가 되었고, 30 대 이상이라면 한 두 번쯤 들어본 경우가 대부분일 것이다. 또한, 실제 나이보다 더 들어 보이면 자기 관리를 안 했다고 평가하기도 한다.

언제부터 동안이 자기 관리의 중요한 척도가 되었을까?

사실 동안은 관리의 영향도 있지만 타고난 게 훨씬 더 크다. 그리고 실제로 진정한 동안은 찾아보기 힘들다. 동안이라고 하는 사람들 대부분 실제 나잇대로 보이며 잘 관리했거나 젊어 보인다는 느낌이 있는 정도이지 실제적으로 어려 보이지는 않는다. 또한, 남녀노소 불문하고 외모를 가꾸는 시대라서 예전에 비해 전체적으로 젊어진 것도 사실이다. 그래서 너만 동안이 아니다. 나도 동안이다. 동안이 상향 평준화된 셈이라 크게 의미가 없다. 물론 연예인은 예외이다. 워낙 외모가 특출 난 사람들이고, 직업상 엄청난 관리를 받으니 일반인과는 비교불가이다.

사람들이 동안에 집착하는 근본적인 이유는 젊음을 놓치고 싶지 않아서이다. 피부과 시술과 관리로 실제 나이보다 젊어 일 수는 있다. 그러나 진짜 젊음의 가장 핵심인 싱그러움은 복구할 수가 없다. 미모의 동안 연예인 또한 마찬가지이다. 어린아이들을 보면 다 예쁘다. 그냥 어린아이 그 자체가 예쁜 것이다. 젊음도 마찬가지이다. 20 대 때는 잘 몰랐는데 40 대가 되어보니 20 대라는 나이 자체에서 발산하는 특유의 싱그러움과 생기가 있다. 그래서 이 싱그러움과 생기가 자체 필터로 작용하여 본래 생김새보다 더 예쁘고 잘생겨 보이는 효과가 생긴다.

하지만 시간이 흐르면 이 싱그러움과 생기도 사라지기 마련이다. 사람마다 개인차가 있겠지만 30 대 중반쯤 되면 거의 찾아볼 수 없다. 아무런 필터가 없는 실제적인 본인의 외모만 남게 되는 것이다. 그래도 30 대까지는 괜찮다. 문제는 40 대부터이다. 뽀샤시한 필터를 씌워도 모자랄 판에 '나이 듦'이라는 필터가 써진다. 그래서 피부과에 발 들이지 않던 사람들도 40 대가 되면 보톡스를 맞고, 필러를 넣게 되는 것 같다. 젊음을 찾지는 못하더라도 나이 듦을 조금이라도 덜어내고 싶은 마음 때문일 것이다. 나도 공감 백배이지만 늙는 건 누구도 피할 수 없다. 젊어보이려고 하기보다는 곱게 늙는 게 더 중요하다고 생각하는데 실상은 그렇지 않다. 요즘같이 동안을 요구 받는 시대에서 조금이라도 젊어 보이지 않으면 시대에 뒤처지는 느낌을 받기 때문이다. 하지만 동안이라는 프레임에 갇혀 정작 중요한 걸 놓칠 수가 있다.

더 이상 나는 젊지 않고, 상대 또한 젊지 않다. 나이 듦이 얼굴에 나타나는 것은 당연한 일이다. 그러니 나와 상대방 모두 젊음이 사라진 외모를 인정하고 그에 대한 관대함이 필요하다.

이 글을 읽는 당신과 이 글을 쓰고 있는 나, 우리 모두!

어떻게 살아왔는지 다 보인다 보여.

나이가 들수록 이성을 처음 만날 때 불리한 점이 늘어난다. 이성을 만날 기회조차 확 줄어든 마당에 참 서러운 일이다. 먼저 처음 만나는 순간 내 나이는 잊은 채, 상대의 얼굴에서 세월의 흔적을 가장 먼저 느끼게 된다. 그 다음으로는 그 사람의 관상이 보인다. 신기하게도 나이가 들면서 따로 관상을 배우지 않아도 어느 정도 볼 줄 알게 된다. 그동안 살아온 경험치와 간접 경험을 통해서 자연스럽게 생긴다고나 할까? 관상학을 전문적으로 배운 게 아니라 운명까지는 모르겠지만 어떤 삶을 살아왔는지 대충 짐작은 간다. 더 신기한 건 얼추 맞는다는 것이다.

그리고 조금만 얘기를 나눠보면 성격까지도 어느 정도 파악이 된다. 사람에 대한 통찰력이 높아져서 짧은 시간 동안 상대에 대해 많은 걸 알 수 있는 것이다. 그런데 이런 점이 큰 장점이기도 하면서 큰 단점이 되기도 한다. 내가 원하는 사람이라면 급격하게 대화가 진전될 수가 있지만 안 맞는다고 생각하면 그 상태 그대로 만남이 끝날 수도 있기 때문이다.

그동안 경험치에 근거한 빠른 판단으로 다음 만남을 결정했었는데 더 이상 그러지 않기로 했다. 경험치는 좋은 결정을 내리는데 대부분 도움을 주지만 항상 그렇지만은 않다. 오히려 선입견 때문에 그릇된 판단을 할 수도 있기 때문이다. 그래서 내가 틀릴 수도 있다는 점을 항상 염두에 둬야 한다. 안 그래도 기회가 적어서 한 번 한 번이 아쉬운 때인데 나의 그릇된 판단으로 놓친다면 얼마나 아쉽겠는가? 어른들이 강조하는 삼세번은 만나야 한다는 말을 오랜만에 상기시켜야 할 때가 왔다.

잘 생각해 보면 맞선이나 소개팅에서 긴장되거나 할 말이 떨어져서 헛소리가 나온 경험이 한두 번쯤 있을 것이다. 나도 그럴 수 있지만 상대도 그럴 수 있다. 그러니 말 몇 마디 또는 잠깐의 행동만으로 빠른 판단을 내리는 대신 종합적으로 보고 천천히 판단해 보기로 하자! 그리고 만났을 당시에는 별로라고 생각해서 거절했는데 한참 지나고 보니 아쉬웠던 사람도 한 번쯤 있을 것이다. 앞으로는 그런 일이 생기지 않도록 좀 더 너그러운 마음을 가지고 상대를 좀 더 자세히 바라보자! 그동안의 이성을 만났던 경험치는 잊고, 순수했던 마음을 다시 꺼내야 할 때이다.

농담으로도 소개팅 부탁을 못하는 나이가 되다.

내가 마지막으로 소개팅을 한 게 언제였던가?

기억이 잘 안나는 걸 보니 꽤 오래전이었던 게 틀림없다. 모든 일에는 때가 있다는 말이 있듯이 소개팅도 확실히 때가 있다. 꽃다운 나이인 20 대에 가장 활발하고 30 대 초반까지 잘 이어진다. 그러다 30 대 중반이 되면 어느 순간 툭 끊기는 느낌이 들면서 확 줄어든다. 그 나이쯤 되면 결혼할 사람들은 거의 했거나 진행 중인 사람들이 많기 때문이다.

그동안 알아서 들어오는 경우가 대부분이었던 소개팅이 부탁해야 하는 입장으로 바뀌는 순간이 온 것이다. 모든 부탁은 어렵다. 그 중에서도 소개팅 부탁은 더 어렵다. 소개팅을 부탁받는 입장도 비슷하다. 원치 않는 소개를 받을 때 거절하는 게 어려운 것처럼 부탁받는 입장에도 좋은 사람을 찾는 일이 어려운 건 마찬가지이다. 거기다 나이까지 많으면 부담 백배이다.

실제로 내가 겪은 일인데 대학 때 친했던 10살 많은 남자 선배가 있었다. 나이차가 워낙 많으니 이성의 느낌은 1도 없는 큰오빠와 막냇동생 같은 사이였다. 자연스럽게 선배가 결혼하고 나서부터 조금씩 멀어지다 아예 연락이 끊겼다. 시간이 아주 많이 지난 어느 날 우연히 회사 근처에서 선배를 마주쳤다. 공교롭게도 우리 회사가 선배네 회사근처로 이사를 해서였다. 십여 년 만에 만난 선배와 나는 반가워하며 안부를 물었는데 역시나 가장 먼저 나에게 물어본 근황은 결혼 여부였다. 아직 결혼 안 했다고 하니 선배는 바로 회사에 괜찮은 후배들이 많다며 소개해주겠다고 했다. 큰 기대를 한 건 아니지만 이렇게 만난 우연이 새로운 인연으로 이어지는 건 아닐까 하는 아주 잠깐 드라마 같은 상상을 했다. 그런데 선배가 나에 대해 기억을 못하는 중요한 것이 하나 있었는데 바로 내 나이였다. 선배 나이 서른 때 스물이었던 때 나를 처음 봐서인지 본인은 쉰이 다 되가는데도 여전히 나를 어리다고 착각하고 있었다. 그 사실을 안 건 며칠이 지나지 않아서였다.

선배와 함께 점심식사를 하면서 이런저런 이야기들 중에 서두만 꺼냈던 나의 소개팅 얘기가 나왔다. 그때 나의 정확한 나이를 얘기했고, 선배는 흠칫 놀라더니 다른 소재로 이야기를 넘겼다. 나도 눈치가 있으니 이 소개팅은 글렀다는 걸 알았고, 소개팅 얘기는 더 이상 하지 않았다. 그 이후 선배는 소개팅의 '소'자는커녕 결혼에 대한 이야기도 일절 꺼내지 않았다.

30 대 후반의 소개팅이 얼마나 주선자에게 부담이 되는지 다시 한번 느꼈다. 어느새 소개팅 부탁이 농담으로도 할 수 없는 나이가 돼 버렸다. 농담이라고 한들 그 안에 진심이 담겨있다는 걸 서로가 알고 있기 때문인 것 같다.
이제 방법은 하나뿐이다. 내가 직접 찾아 나서야 한다.

결혼에 대해 너무 많은 것을 알아버렸다.

마흔 정도가 되면 친구나 회사 동료, 지인들 중 미혼보다 기혼의 비율이 압도적으로 높다. 그래서 굳이 알고 싶지 않아도 현실적인 결혼 생활이 어떤 건지 잘 알게 된다. '아는 게 병, 모르는 게 약'이라는 속담이 이보다 잘 어울리는 경우가 또 있을까? 특히, 미리 알지 않아도 될 아니, 미리 알아서 좋을 것 없는 결혼 생활의 단점들을 적나라하게 알게 된다.

그런데 조금 더 생각해 보면 남의 자랑만큼 듣기 싫은 게 없다.

그리고 남의 험담처럼 재미있는 게 없다. 그러다 보니 가장 가까운 남인 남편(아내)의 험담을 주위 사람들에게 하는 것 같다. 흠 없는 사람이 어디 있으랴. 결혼 생활의 자랑은 되도록 숨기고, 흠은 극대화하다 보니 결혼 안 한 사람들이 보기에는 부정적인 면이 더 크게 느껴지는 것 같다.

이와 더불어 결혼한 사람들이 많이 하는 말 중 하나가 맘 편히 혼자 살라고 하는 조언이다. 한 번은 왜 본인은 결혼해 놓고 나는 하지 말라고 하냐고 물으니 본인이 해봤으니까 알아서 해주는 조언이란다. 그러면서 다음 생에 태어나면 혼자 살 거라는 말도 덧붙이고는 한다. 정략결혼이 아닌 본인이 원해서 한 결혼인데도 말이다.
사실 엄밀히 말하면 이 조언도 결과론적인 말일뿐이다.
만약 내 나이까지 결혼을 안 했다면 뒤늦게 결혼을 꼭 해야겠다는 마음이 들었을 수도 있다. 어쩌면 나도 결혼을 했다면 결혼하지 말고 맘 편히 혼자 살라고 할 수도 있다. 모두 다 가보지 않는 길에 대한 환상일 뿐이다.

부부싸움의 80%는 돈 때문이라는 이야기를 들은 적이 있다.

실제로 배우자의 소득이 월 1천 만원 이상이면 이혼율이 0%에 가깝다는 통계가 있는 걸 보면 신빙성이 높은 이야기이다. 2014년의 통계라서 지금은 소득 기준이 많이 올랐을 거 같지만 큰 틀은 변화가 없을 것 같다.

그래서 결혼은 현실이라고 말하는 가장 큰 이유가 바로 '돈'이다.
사랑만으로는 결혼생활이 힘든 세상이기 때문이다. 우선 돈이 없으면 가장 기본조건인 집부터 구하기가 어렵다. 시작부터 어려운 결혼이 순탄하기란 매우 어렵다. 그렇다고 돈만 보고 결혼할 수도 없다. 결혼생활에는 서로에 대한 많은 인내와 이해 그리고 배려가 필요하기 때문이다. 그래서 부부사이에는 사랑이 밑바탕에 깔려 있어야 한다. 그런데 사랑만으로 결혼했다가 경제적 이유로 헤어지는 경우도 많다. 한마디로 결혼생활에서 사랑은 반드시 있어야 하고, 돈도 무시할 수 없다.

그리고 결혼에 있어 또 하나 중요한 건 인성이다.
사랑의 시작은 이성으로서 호감이 있어야 생기는데 결혼생활을 하다 보면 이성보다는 사람으로서의 인성이 더 중요하다. 그래서 이성의 매력에만 빠져 결혼했다가는 결혼생활이 힘들어질 가능성이 높다.
그렇다고 이성적 느낌은 거의 없는데 인성이 좋아서 결혼한다면 그 결혼에는 사랑이 부족할 확률이 높다.

늦은 만큼 배우자의 조건에 대해 많이 내려놓기로 마음먹었다.
하지만 결혼생활의 현실을 보니 돈이 너무 적으면 안 되고, 사랑도 꼭 있어야 하고, 이성으로서 호감도 있어야 하며 인성도 괜찮아야 한다.
그런데 이 모두가 충족되는 결혼을 해도 문제가 생길 수 있다.
연애할 때의 사랑과 인성은 결혼이라는 목표를 위해 연기가 가능하며 숨겨놓은 빚이 있을 수도 있기 때문이다. 물론, 최악의 경우들이지만 실제로 본 주위의 사례들이다. 이 부부들 중 이혼한 경우도 있지만 여러 가지 사정으로 결혼을 유지하는 경우가 더 많다. 이혼만 안 했을 뿐 남남처럼 어찌 보면 남보다도 못하게 사는 것이다.

'아는 게 병, 모르는 게 약'이라는 속담이 다시 떠오른다.

나 결혼할 수 있을까?

마음 깊은 곳에 감춰져 있는 보상심리

세상에는 어려운 일들이 참 많이 존재한다. 늦은 만큼 배우자에 대한 조건을 내려놔야 하는데 그러지 못하는 것도 그중 하나이다. 누가 말해주지 않아도 잘 알고 있지만 실천이 매우 어렵다. 알게 모르게 기다린 만큼 더 좋은 사람을 만나야 한다는 보상심리가 마음 깊은 곳에 숨겨져 있기 때문이다. 많이 늦었다는 현실과 극도로 줄어든 기회를 마주하며 많이 내려놓은 줄 알았는데 막상 소개를 받을 때면 숨어있던 보상심리가 불쑥 튀어나온다. 그리고 속삭인다.

'이런 사람이랑 결혼할 거였으면 골백번도 더 했겠다.'

악마의 속삭임이 따로 없다. 이 속삭임이 들리는 순간 지난날의 인연들이 주마등처럼 스쳐간다. 그 짧은 순간에 한 명씩 스캔하며 소개받은 사람과 비교하다 대부분 지나간 사람들이 훨씬 나았다는 걸 깨닫고 절망한다. 그리고 도저히 만날 수 없다고 판단하고 거절한다. 얼마 후 만나나 볼 걸 그랬다고 후회하지만 이미 버스는 떠났다. 하지만 이 기억을 망각하고 다음 소개 때 그리고 또 다음 소개 때 이 과정을 무한 반복한다.

어르신들이 흔히 말하는 '왕년에 내가~...'라고 시작하는 이야기와 비슷한 맥락이다. 그렇게 시작하는 이야기들은 '그래서 어쩌라고요?'라고 말해주고 싶은 경우가 대부분이다. 늦은 만큼 더 좋은 사람을 만나야 한다는 보상 심리 또한 이와 크게 다를 바 없다. 자꾸 지난날의 인연을 떠올려봤자 새로운 만남에 방해가 될 뿐이다. 과거의 영광은 과거로 묻어둬야 빛이 발하는 것처럼 지난날의 인연도 좋은 추억으로 묻어둬야 새로운 좋은 사람을 만날 수 있다. 이제 이 악순환을 굳은 마음으로 끊어내야 할 때가 왔다.

그런데 보상 심리는 생각보다 힘이 세다. 더 이상 안 그럴 거라고 매번 결심하지만 이런 사람이랑 결혼할 거였으면 진작했을 거라는 생각이 머릿속을 지배해 버린다. 이 보상심리는 누구도 채워줄 수 없다. 본인만이 채울 수 있고 버릴 수도 있다. 못 채울 거 같다면 하루빨리 버리는 것이 현명하다. 그래도 끝까지 버릴 수 없다면 계속 원하는 사람을 찾거나 결혼을 하지 않는 것도 방법이다. 이건 선택의 문제이지 옳고 그름의 문제가 아니라서 본인이 진정 원하는 길을 찾아가면 된다.

나는 이제 보상심리와 이별하기로 마음먹었다.
모든 이별은 단칼에 자르기 어렵고, 생채기 또한 남는다.
그렇지만 이별이 있어야 새로운 만남도 있는 법.
이제 좋은 인연을 만날 준비가 되었다.

Chapter 5

마흔 넘어 결혼할 수 있을까?

인생은 늘 예상 못한 일로 가득했고 결혼 또한 그랬다.
마흔에도 결혼을 안 했을 거라고는 단 한 번도 예상한 적이 없었다.
너무 늦어버렸지만 이제라도 노력하면 결혼할 수 있을까?

늦은 나이에 소개팅 어플에 도전하다!

1) 40 대 여자의 소개팅 어플 입문기

시작은 이러했다.

친한 동생이 괜찮은 소개팅 어플이 있다며 함께 해보자고 했다.

40 대에 소개팅 어플이라니 혼자 괜히 민망하면서 나이 때문에 가입 불가는 아닌지 걱정됐다. 그런데 아무것도 안 하고 있는 것보다는 뭐라도 해보는 게 나을 거 같아서 가입하기로 결정했다. 소개팅 어플을 가입하려고 보니 가장 거부감이 드는 건 사진을 내야 하는 것이었다. 그것도 2 장 이상. 얼굴 팔리는 기분이랄까? 그런데 그렇게 따지다 보면 할 수 있는 것이 너무 없을 것 같아 눈 딱 감고, 사진을 제출했다. 그리고 몇 시간 후 승인됐다는 메시지를 받았고, 비슷한 나이 또래의 남자 10 여 명의 프로필을 전달받았다. 프로필에는 사진과 자기소개, 직업, 학력, 재력 등이 소개되어 있고, 5 점 만점으로 평가를 하게 되어있다. 그리고 평가와는 별도로 대화를 하고 싶으면 어플에 따라 OK 나 좋아요 등으로 호감 표시(유료)를 하고, 그 호감을 받은 상대의 결정에 따라 대화를 나눌 수 있기도 하고, 거절당하기도 한다.

가입 첫날, 나는 평가하는 게 익숙지 않아 프로필 받은 모든 남성들에게 4 점을 줬다. 그런데 다음 날 이상한 경험을 하게 되었다.
나도 모르게 평가하는 게 자연스러워져서 점수를 주는 기준이 생겼고, 다양하게 점수를 주기 시작했다. 그리고 나의 점수도 확인할 수 있었다. 4 점이 채 안 되는 점수와 함께 상위 40% 이상이라는 결과를 받았다. 나는 외모가 평범한 편이고 어플 보정도 별로 하지 않은 상태에 나이도 많아서 좋은 점수를 기대하기는 어려웠다.
전체적으로 예쁜 여자들이 많은 것 같았는데 남녀 불문 과한 보정을 한 사진들도 꽤 있는 것 같아서 정확한 건 실물로 판단해야 할 거 같다는 생각이 들었다.

소개팅 어플을 좀 해보니 감이 와서 가이드라인을 만들어 보았다.

▼ 소개팅 어플, 이런 분들에게 추천!

1. 20 대 중반부터 30 대 초반

실제로 이 나잇대의 가입자 수가 대부분이고, 남자 회원들이 선호하는 나잇대인 것 같다. 이건 현실 연애에서도 마찬가지이다. 30 대 중반부터는 회원 수가 적어서 매칭률이 확 떨어진다.

2. (30 대 중반 이상) 진짜 예쁜 외모를 가진 분

많은 나이를 상쇄할 수 있는 조건은 예쁜 외모이다. 친구들이나 지인 사이들 사이에 '너 정도면 괜찮지' 로는 부족하며 어른들한테 예쁘다는 소리 드는 분들도 제외이다. 어느 집단에서도 예쁘다는 소리를 듣는 수준을 뜻한다.

3. 삶이 너무 무료해 새로운 자극 한 번 받고 싶은 분

매일 똑같은 일상에 지친 외모 평범한 분이 가입하면 생각보다 큰 충격을 받을 것 같다. 나이가 많을수록 충격의 강도는 세진다.

▼ 소개팅 어플, 이런 분들은 고민해 보세요!

1. 멘탈 약하신 분

나도 나름 멘탈이 강하다고 생각하는데도 소개팅 어플 가입하고, 상처 좀 받았다. 근데 멘탈 약한 분들은 얼마나 크게 상처를 받을까 싶다. 평소 본인이 멘탈 약하다고 생각하는 분들은 가입 안 하는 게 이로울 듯하다.

2. 30 대 후반 이상

앞에서 설명했듯이 30 대 중반부터 나이가 많은 축에 속하며 30 대 후반부터는 그들만의 리그로 넘어가는 것 같다.

3. 평범한 외모를 가진 분

소개팅 어플에서는 사진이 가장 중요하다.

그래서 20~30 대 초반의 예쁜 여성 또는 키나 몸매 등 전체적인 스타일이 좋고, 잘 꾸미는 여자들에게 유리하며 둘 다 해당사항이 없는 평범한 분들에게는 불리한 편이다. 그렇지만 본인이 불리한 조건이라는 걸 인지하고 소개팅 어플을 시작한다면 의외로 괜찮은 결과가 생길 수도 있다.

4. 사람보는 눈이 없으신 분

소개팅 어플은 손쉽게 이성을 만날 수 있다는 큰 장점이 있다. 대신 신분이 확실치 않고, 어떤 사람인지 내가 직접 알아봐야 한다는 단점이 있다. 그래서 사람 볼 줄 아는 눈이 좀 있어야 한다. 어플의 특성상 가벼운 목적을 가진 사람이 많고 신분을 속이거나 질이 좋지 않은 사람도 있기 때문이다. 대화를 계속 나누다 보면 100%는 아니지만 어느 정도는 걸러낼 수 있다. 만약 그런 눈이 없다면 아예 시작도 안 하는 것을 추천한다.

2) 40 대 여자의 소개팅 어플 실전기

야심 차게 가입한 소개팅 어플에서 간간히 OK(호감 표시)가 왔지만 아쉽게도 만남으로 이어지지는 못했다. 내가 OK 를 수락하면 바로 상대에게 연락이 와서 만날 거라고 생각했는데 예상과 달리 한참 후에 연락이 왔고 그 마저도 뜨문뜨문 왔다.

소개팅 어플이 왜 내 예상과 다르게 진행이 되는지 궁금해져서 검색해보니 다중 매칭하는 사람들이 많아서였다. 다중 매칭이란 한 사람이 아닌 여러 사람에게 OK 를 보내고, 동시에 여러 명과 연락하는 것을 뜻했다. 현실세계로 비유하자면 '어장 관리'와 비슷했다. 나는 이제 막 소개팅 어플에 입문한 초보자라 몰랐지만 이런 경우가 꽤 많은 것 같았다. 분위기를 보니 내가 수락한 사람들도 다중 매칭을 하고 있던 것 같다. 처음에는 기분이 좀 나빴는데 어플을 더 해보니 다매(다중 매칭)을 하는 이유가 어느 정도 납득이 됐다.

소개팅 어플들은 대부분 오후 1시 전후로 매일 10명 정도의 새로운 사람의 프로필을 준다. 오늘은 이 사람이 괜찮아서 OK를 보내거나 수락했는데 다음날 더 괜찮은 사람을 보게 되면 또 OK를 하게 되고, 다다음날 또는 며칠 후에도 같은 상황이 발생할 수 있다. 그리고 내가 보낸 OK가 상대가 수락한다는 보장이 없으니 여러 명에게 보내는 것도 어찌 보면 당연한 일이다. 그러다 보면 여러 사람과 동시에 연락하게 돼서 한 명에게 집중하기가 힘들어지고, 그 와중에 우선순위도 생길 것이다.

소개팅 어플의 가장 큰 장점이자 단점이 매일 새로운 이성이 대기 중이라는 점이다. 일반 소개팅과 달리 웬만큼 맘에 들지 않는 이상 더 마음에 드는 사람을 만날 수 있을 거라는 생각을 갖게 된다. 즉, 이상형을 만난 게 아닌 이상 한 사람에게만 집중하는 게 어렵다는 것이 가장 큰 문제였다. 현실적으로 이상형을 만나기는 매우 어렵고, 나는 상대가 이상형일지라도 상대는 아닐 가능성도 있다. 그리고 나는 이상형이 아니지만 상대에게 올인했는데 상대는 여러 사람을 동시에 만날 수도 있는 등 경우의 수가 너무 많다는 것도 문제였다.

또한, 스마트폰 터치만으로 쉽게 만난 인연이라서 끊어지는 것 역시 쉽다. 그리고 주선자가 없는 소개팅이니 눈치 볼 사람이 없어서 잠수, 당일 약속 취소 등 비매너를 보이기도 한다. 가볍게 시작한 인연인 만큼 만남에 대한 책임감 또한 깃털처럼 가벼운 것이다.

그런데 뜻이 있어서 길이 열렸는지 메인으로 하던 소개팅 어플이 아닌 다른 곳에서 만남이 이뤄졌다. 이것도 소개팅 어플이긴 했지만 사진 없이 회사 메일로만 신분 확인을 하는 곳인데 본격적인 소개팅 어플 시작 전 워밍업으로 가입한 어플이었다. 가입하고 며칠 후에 매칭 되어 소소한 일상을 나누는 분이 생겼는데 2 주 정도 지나자 만남을 제안하였다. 함께 나눈 대화의 내용, 말투 등 괜찮은 사람이라고 느꼈던 나는 그 제안에 응했고, 비가 오는 일요일 오후에 만났다. 얼굴도 모른 체 만나게 되니 옛날 소개팅 생각이 났다. 근데 그때나 지금이나 신기한 점은 사진을 안 봤어도 서로를 금세 알아본다는 것이다. 그리고 가끔 저 사람은 아니겠지(또는 아니었으면...) 할 때가 있는데 늘 그 사람이 맞다. 이 사람도 처음 만날 때 한눈에 알아봤고, 어플에서의 느낌과 실제의 느낌이 같았다.

그런데 코로나로 인해 예전 소개팅과 다른 점 하나 생겼다. 바로 마스크이다. 처음 마주쳤을 때 서로의 얼굴을 모르는 상태에서 눈만 보니 나머지 얼굴을 상상하게 되는데 서로 마스크를 벗었을 때 실망할까 봐 긴장감이 살짝 감돌았다. 그러나 그 생각은 잠시였고, 대화를 시작하니 원래의 소개팅 분위기가 만들어졌다. 헤어질 무렵 에프터를 받았고, 두 번째 만남에선 영화를 보고 식사도 했다. 그리고 삼프터도 받았다. 어른들이 늘 강조하는 삼세번은 만나보게 됐다. 아마도 세 번째 만남을 하고 나면 관계가 진전될지 아니면 멈출지 판단하게 될 듯하다. 어떻게 될지 아직 모르겠지만 조금은 기대하며 만남을 기다려보려고 한다.

3) 40 대 여자의 소개팅 어플 적응기

어느덧 소개팅 어플 세 번째 이야기를 쓰게 되었다.

세 번째 편을 쓰게 된다면 '소개팅 어플 성공기'라는 제목으로 글을 쓰고 싶었는데 역시 마음먹은 대로만 되지 않는다. 이전 글 '소개팅 어플 실전기'에서 이야기했던 그 분과의 세 번째 만남이 이뤄지지 않았다. 그 이유는 상대에 대해 고민되는 부분이 생겨서였다. 그래서 나도 모르게 그를 대하는 태도가 달라졌고, 그도 느낀 것 같았다. 그러면서 자연스럽게 연락이 끊겼다.

그 후 몇 사람과 더 매칭 되었지만 만남까지 이어지지 않았다. 만남까지 이어지지 않은 이유들은 다양했는데 그 이유들 중 황당했던 경험들을 이야기하려고 한다. 본질적으로는 같은 이유였지만 상황이 달랐던 케이스들이다.

#1.

소개팅 어플에 함께 입문했던 친구와 서로 다른 어플을 가입해서 괜찮은 어플이 있으면 추천하기로 했다. 나는 처음 가입한 어플에서 바로 매칭이 되었고 어플의 전체적인 분위기도 괜찮아 보였다. 그래서 친구에게 그 어플을 추천했고, 친구도 바로 가입했다. 그리고 함께 카페에서 이야기를 나누던 중 친구가 대화 신청이 왔다며 어플을 보여줬다. 그 어플을 본 나는 '헉'소리가 났다. 친구의 매칭남이 좀 전까지 나와 대화를 주고받았던 나의 매칭남이었던 것이다. 다중 매칭이 있다는 건 알고 있었지만 이렇게 바로 그것도 내친구에게 대화 신청하는 현장을 보게 줄은 몰랐다. 친구는 당연히 그 사람의 대화 신청을 거절했고, 나도 그 사람과 대화를 끊었다.

#2.

카톡을 재밌게 하고, 통화까지 하게 된 매칭남이 있었다.

이렇게 연락을 더 하다보면 자연스레 만날 거라는 생각을 했었다. 그런데 어느 날 갑자기 연락이 툭 끊겼다. 이미 다중 매칭을 경험했던 나는 대충 느낌이 와서 연락처를 지웠다. 그런데 일주일 후 그에게서 카톡이 왔다. 회사에 큰일이 생겨 주말까지 일처리 하느라 이제 연락한다며 미안하다고 했다. 카톡을 보자마자 헛웃음이 났다. 그와 나는 높임말을 쓰던 사이였는데 높임말도 반말도 아닌 어중된 말투였다. 내용 자체도 어이가 없었지만 나뿐만 아니라 여러 명에게 동시에 보낸 단체 문자 같았다. 추측컨데 다중 매칭 된 여러 명 중 말을 놓은 사람이 있고, 높임말을 쓰는 사람도 있어서 일부러 어중되게 쓴 느낌이었다. 높임말 버전, 반말 버전 이렇게 2 가지로 쓸 수 있었을 텐데 그마저도 귀찮았던 참 성의 없는 톡이었다. 그렇지만 그 사람한테는 한 명만 속아도 성공이니 손해 보는 일은 아니었을 것이다.

소개팅 어플을 2 달 가까이해보니 사람 만난다는 게 쉽지 않다는 걸 다시 한번 느꼈다. 이제는 가입 초반의 열정이 사라져 매일 들어가지도 않으며 OK 를 받거나 생각날 때 한 번씩 들어가 본다. 그리고 이제 점수도 상향 평준화로 주고 있다. 어느새 나도 소개팅 어플의 고인물이 된 걸까?
노력한다고 했는데 만남 자체가 왜 이렇게 어려운지 회의감이 들지만 아직 탈퇴할 생각은 없다. 직장생활도 매달 고비가 있고 힘든데 고작 2 달 해 본 소개팅 어플에서 좋은 사람을 못 만났다고 포기하는 건 이르다.

그런데 이 글을 보고, 괜찮은 사람 찾기가 힘든데 왜 어플을 계속하는지에 의문을 갖는 사람이 있을 수 있을 것 같다. 그럼 나는 이렇게 대답하겠다. 소개팅이던 맞선이던 이상한 사람은 어디에나 있다. 아무래도 소개팅 어플이 쉽게 접근 가능하고, 매칭되는 수가 훨씬 많아서 이상한 사람 도 많을 수밖에 없다고 생각한다. 이왕 시작했으니 조금 더 해보려고 한다.

4) 40대 여자의 소개팅 어플 마지막 후기

시간 참 빠르다.

소개팅 어플 적응기를 쓴 지 얼마 안 된 것 같은데 4개월이 지났고, 마지막 후기를 쓰게 됐다. 성공기를 쓰고 싶었던 나의 바람과 달리 성공기는 아니다. 지금은 곁에 없지만 좋은 사람을 만나기도 했으니 실패기도 아니다. 내가 겪어보고 느낀 소개팅 어플의 총정리 편이라고 하면 적당할 것 같다.

실은 적응기를 쓸 무렵부터 소개팅 어플에 대한 고민이 시작됐었다. 매일 오는 수많은 사람들의 프로필을 확인하며 점수를 주는 것에 피로감이 쌓이기 시작했고, 나의 점수가 낮으면 신경이 쓰였다. 물론, 처음부터 이런 점을 잘 알고 있었고, 감수해야 부분이라고 생각했었는데 기간이 길어지니 회의감이 들었다. 그리고 다중 매칭하는 사람을 겪고 나니 매칭이 됐을 때 어떤 사람인지 보다 다중 매칭하고 있는 사람이 아닐지 의심부터 하게 됐다. 그러면서 언제까지 소개팅 어플을 해야 하는지에 대해서도 의문이 들기 시작했다.

그 무렵에 생각지 못한 좋은 사람을 만났고, 바로 소개팅 어플을 삭제했다. 지금은 헤어졌지만 다시 설치할 생각은 없다. 하지만 주위의 누군가가 소개팅 어플을 해보겠다고 하면 한 번쯤은 해보라고 할 것 같다. 소개팅 어플에 너무 집중하는 건 추천하지 않고, 이성을 만날 경로가 막혔을 때 만남의 폭을 넓혀본다는 마음으로 가볍게 해 볼만한 것 같다. 성공율이 높지는 않지만 소개팅 어플에서 만나 연애하거나 결혼하는 사람들이 분명 있기 때문이다.
그리고 남에게 부탁하지 않고, 나 스스로 만남의 기회를 만든다는 점이 멋진 일인 것 같다. 대신 몇 가지 조언을 할 것이다.

| 소개팅 어플을 잘 골라야 한다.

소개팅 어플의 가장 큰 단점은 주선자가 없다는 것이다. 그래서 1 차적으로는 신분 확인(직업, 회사 등)이 잘 되어있는 곳이어야 한다. 어플의 한계로 100% 확인은 어렵겠지만 그래도 비교적 신분 확인이 잘 되는 어플이 있으니 그 중에 후기를 보고 고르면 된다. 한 가지 주의할 점은 후기 중 광고가 많다는 점이다. 계속 보다 보면 광고인지 솔직 후기인지 느낌이 오니까 손품을 좀 팔아야 한다. 그 다음 매칭이 됐다면 사람을 잘 걸러낼 수 있는 안목이 필요하다.

| 초반에 거르거나 잘 살펴봐야 하는 유형들

1. 만나기 전이나 첫 만남에서 스킨십 얘기를 하는 남자
(설명도 필요도 없다. 그냥 거르면 된다.)

2. 밤에 만나자고 하는 남자
(밤은 위험 요소가 많다.)

3. 카톡 이름이 본인 이름이 아닌 알파벳, 별명 등으로 되어있는 남자
(다중 매칭 가능성이 높으며 이름을 감추려는 이유가 있다.)

4. 연락이 잘 안 되는 남자
(다중 매칭을 하고 있을 가능성이 높다. 바빠서 연락이 잘 안 되는 것과 다름)

5. 짧은 대화만 했는데 만나자고 하는 남자
(빨리 만나자고 할수록 가벼운 목적이 많음)

우선 처음 만날 때는 주말 오후에 커피 한 잔 하는 걸 추천한다. 소개팅도 마찬가지인데 마음에 들지 않으면 가볍게 커피 한잔하고 헤어지면 되니 시간적으로나 경제적으로나 서로 부담이 없다. 마음에 들면 자연스럽게 저녁 식사를 하러 가면 된다. 그리고 만나기 전 한 가지 유의할 사항은 사진 어플이 워낙 잘 되어있어서 사진과 다른 분이 나올 수도 있다는 것이다. 사진과 같은 사람이 나오지 않을 수도 있다는 생각을 하고, 만나러 가는 것이 충격이 덜 할 것이다.

| 소개팅 어플은 짧고 굵게 끝내기를 권한다.

내가 겪어보니 기간이 길다고 좋은 사람이 나타나는 것도 아니고, 오히려 가입 초기에 매칭이 더 많이 된 것 같다.
나중에 알게 된 사실인데 신규 회원을 우대해준다고 한다. 그리고 계속 새로운 사람이 소개되니 사람 귀한 줄 모르게 된다고 할까? 그런 느낌도 있으니 어플에 익숙해지기 전 집중해서 선택을 하고, 가입한

지 오래되지 않은 사람을 만나는 게 베스트인 것 같다. 그래서 1~2 달 정도만 해보고, 그 안에 못 만난다면 과감히 삭제하길 권한다.

동호회 어디까지 가봤니?

연애나 결혼이 하고 싶은데 경로가 없다고 하면 가장 많이 추천받는 루트 중 하나가 동호회이다. 내 첫 동호회는 살사댄스 모임이었는데 연애의 목적이 아닌 친구의 친구가 동호회 회장이라서 소개로 가입했다. 남녀가 짝을 지어 추는 춤이라 커플이 많이 생기기는 했다. 그런데 그들 중 부러운 커플은 한 쌍도 없었고, 4~5 개월 정도 활동해보니 내가 몸치라는 걸 깨닫고 그만뒀다.

두 번째 동호회는 새로운 도전보다 평소 좋아하는 취미를 하는 게 좋을 것 같아 걷기 동호회에 가입했다. 평일 저녁에 주로 모임을 가져서 한 번 참석했는데 자주 참석하던 회원들은 많이 친해져 있는 상태였다. 그러다 회원들 간에 다툼이 생겨 모임이 없어졌다.

그 후 사진과 미술 동호회에 가입했었다. 사진 동호회에서는 사진 찍는 법만 열심히 배우고, 미술 동호회에서는 전시만 열심히 관람했다. 둘 다 나쁘지는 않았으나 흥미가 떨어져서 탈퇴한 후 내가 좋아하는 취미로 돌아가 독서 동호회에 가입했다. 독서 동호회는 책에 대한 이야기를 하는 모임이라 회원들의 성향이 매우 중요한데 잘 맞지 않아서 그만뒀다.

그 다음으로는 아예 직접적으로 연애를 목적으로 한 친목 동호회에 가입했다. 그동안 특정 취미를 가진 동호회만 활동해서 친목 동호회는 어떤 방법으로 친목을 다질지 궁금했다. 하지만 아쉽게도 내가 잘 못 마시는 술로 친목을 다져서 친해지기도 전에 그만뒀다.

여러 곳의 동호회를 가입해 본 결과, 나와 잘 맞는 동호회 자체를 찾기 어려웠고 그 안에서 연애 상대를 찾는 건 더더욱 어려운 문제였다.

코로나로 인해 몇 년간 활동하지 않다 다시 시작해야겠다 싶어서 가장 좋아하는 취미인 독서동호회에 새로 가입했다. 한 번 나갔었는데 모임장과의 결이 잘 맞아서 책에 대한 토론만으로도 충분히 재미있고, 좋았다. 이렇게 결이 비슷하고, 같은 취미를 가진 사람을 만나면 얼마나 좋을까? 라는 생각을 처음 하게 됐다. 앞으로 열심히 참여하며 이곳에서 내 짝을 찾아보면 좋을 거라고 생각했는데 너무 안타깝게도 갑자기 없어졌다. 처음으로 나와 잘 맞는 좋은 동호회를 찾았다고 생각했는데 너무 아쉬웠다. 이렇게 동호회는 갑자기 없어질 수 있다는 큰 단점이 있다. 그래도 오래가는 동호회도 있으니 다시 찾아보려고 한다.

만약 연애가 하고 싶어서 동호회를 찾는다면 친목보다는 특정한 주제를 가진 동호회를 추천한다. 친목 동호회는 대부분 술로 다져지는 경우가 많고 이성에게 수작 부리려는 사람이 너무 많기 때문이다.
그리고 취미나 배우기 등 평소 본인이 관심 있는 동호회를 간다면 공통 관심사가 적어도 하나는 있으니까 그것만으로도 잘 맞을 확률이 높아진다. 동호회에서 인연을 만나겠다는 생각은 우선 내려놓고, 본인과 잘 맞는 동호회에서 활동을 하다 보면 좋은 기회가 올 거라고 생각한다.

최후의 보루였던
결혼정보회사에 가입하다!

마흔 넘어 가입한 결혼정보회사

'드디어'라고 해야 할까? '마침내'라고 해야 할까?

고민에 고민만 거듭하던 결혼정보회사에 가입하기로 결정했다.

작년 10월 상담을 마치고 고심 끝에 가입하지 않기로 했었는데 마음이 바뀐 것이다. 뒤늦게 마음이 바뀐 데는 2가지 이유가 있었다.

1. 결혼정보회사에 가입한 친구들의 후기

결혼정보회사에 가입한 두 명의 친구 중 한 명이 좋은 사람을 만나서 곧 결혼한다. 나머지 한 명은 아직 짝을 만나지 못했지만 만남을 가지는 기회 자체만으로도 의의가 있고, 내가 원하는 사람과 현실적으로 만날 수 있는 사람을 판단하는데 큰 도움이 됐다며 추천했다.
친구들의 긍정적인 후기를 접하니 가입 안 하기로 확정했던 마음이 흔들리기 시작했다. 마음이 흔들린다는 건 이미 다른 한 축으로 기울어졌다는 의미기도 했다.

2. 언제까지 결혼정보회사를 최후의 보루로만 남겨둘 것인가?

결혼에 대해 가능성만 열어두었던 내가 결혼이 하고 싶어지는 시기가 오니 많은 경로와 기회가 사라져 있었다. 이제 나 스스로 기회를 만들어야 했고, 그 방법들로는 동호회, 소개팅 어플, 결혼정보회사가 있었다. 그런데 동호회는 코로나로 인해 많이 축소되었고 소개팅 어플도 해봤지만 잘 되지 않았다. 마지막으로 결혼정보회사만이 남아 있었다.
나에게 결혼정보회사는 동호회나 소개팅 어플과는 차원이 다른 시도였다. 내가 만들 수 있는 '마지막 기회'라는 생각이 들어서였다. 이마저 안되면 절망스러울 것 같아서 최대한 미루며 최후의 보루로 남겨두고 싶었다. 하지만 내가 결혼을 하지 않는 한 이 고민은 피곤하면 생기는 구내염처럼 간헐적으로 이어질 것 같았고, 더 이상 결혼정보회사에 대한 고민으로 에너지를 쏟고 싶지도 않았다. 그리고 가장 중요한 건 결혼정보회사에서 좋은 사람을 못 만나더라도 절망하지 않을 수 있는 의연한 마음이 생겨서였다.
내가 결혼정보회사에 가입하리라고는 꿈에도 생각하지 못했다.
그것도 마흔 넘어서... 근데 원래 인생이 그런 게 아니겠는가?

결혼을 꼭 해야 한다는 생각은 없었지만 남들처럼 나도 삼십 대 초중반쯤에는 할 줄 알았고, 지금의 내 나이에는 안정적인 가정이 꾸려 있을 줄 알았다. 그런데 현실은 결혼은커녕 마흔 넘어 결혼정보회사에 가입하는 예상 못한 삶을 살고 있다.

그동안 친구들이나 지인들이 결혼 적령기에 자연스레 소개팅이나 선을 통해 결혼하는 결과만 보고, 만남에서 결혼에 이르기까지의 숨은 노력들을 간과했던 것 같다. 늦은 만큼 더 큰 노력은 필수이다. 그래서 내가 할 수 있는 노력 중 가장 확실한 만남의 기회를 얻을 수 있는 결혼정보회사에 가입했다. 이렇게 가입할 거 왜 그리 오래 고민했나 싶기도 하지만 후련한 마음이 더 크다.
주사위는 던져졌다.

어떤 숫자가 나올지 모르지만 내가 좋아하는 숫자가 나오면 좋겠다. 하지만 다른 숫자가 나와도 그 숫자를 좋아하게 될 수 있다는 열린 마음을 가지고 시작해보려고 한다.

Step1. 가입에서 Step 2. 서류 제출까지

시작이 반이라고 오랜 고민 끝에 가입한 결혼정보회사라서 가입만으로도 절반은 진행된 것 같았다. 하지만 다음 날 가입은 말 그대로 계약서에 사인하고, 가입비를 지불한 것뿐 절반의 진행이 아닌 Step 1 이었다는 걸 깨달았다. Step 2 는 각종 서류 제출과 데이터폼 작성이었다. 신원 인증을 위해 여러 가지 서류를 제출해야 했는데 혼인관계증명서, 가족관계증명서, 졸업증명서 등은 결혼정보회사에서 직접 발급했고, 재직증명서 및 소득증빙자료는 내가 발급받아 제출했다.

다음 차례는 데이터폼이었다.

데이터폼은 나에 대한 세부 정보를 작성하는 폼으로 많은 항목들에 대해 답변해야 했다. 사는 곳(주택 종류와 평 수, 자가 여부 등), 직업, 학력, 신체 조건 등의 기본적인 인적 정보와 가족의 직업, 나이까지 꽤 자세히 작성해야 했다. 다음으로는 성격, 성향, 가치관 등을 파

악하는 항목들과 최근에 추가된 걸로 보이는 MBTI 도 있었다. 여기까지는 있는 그대로 적으면 돼서 수월했다. 그런데 내가 어떤 스타일이고, 어떤 스타일을 원하는지 고르는 게 은근히 어려웠다. 예를 들면 나와 희망 상대를 설명하는 '세련됐다, 유머가 있다.' 등의 보기에서 나의 스타일과 내가 원하는 상대의 스타일을 각각 5 개씩 골라야 했다. 수많은 항목 중 5 개만 고르는 것이 생각보다 쉽지 않았다.

그나마 여기까지는 시간이 좀 걸려서 그렇지 객관식이라 고르기만 하면 됐는데 가장 난관은 주관식인 자기소개와 희망 상대에 대해 쓰는 것이었다. 브런치 작가로 활동 중이라 글 쓰는 건 어렵지 않을 거라고 생각했는데 브런치와는 다른 영역이었다. 길게 쓰면 읽기도 전에 흥미가 떨어질 것 같았고, 너무 짧게 쓰면 성의가 없어 보일 것 같았다. 거기다 자기소개는 내가 좋은 신붓감임을 어필해야 했고, 희망 상대는 너무 까다로워 보이지 않아야 했다.
특히, 희망 상대에 대해 어떤 특정을 짓는다면 상대 수는 줄어들 것이다. 결혼 가능성을 높이기 위해 결혼정보회사에 가입했으니 최대한 열린 마음을 가져야 한다. 명확하게 쓰는 것보다 두루뭉술하게 쓰는 게 나을 것 같았다. 썼다 지웠다를 반복하는 사이 나에게는 결혼정보회사 선배가 있다는 게 생각났다. 나의 고민을 들은 친구는 딱 한마디 했다.

"글 아무리 잘 써도 사진 보고 마음에 안 들면 꽝이야."

맞는 말이다. 자기소개나 희망 상대에 대한 글은 부수적인 역할일 뿐 선택에 큰 영향을 주지 않는다. 마음에 드는 상대가 자기소개를 잘 썼다면 글도 잘 쓰는 매력있는 사람이라고 생각하겠지만 그다지 마음에 안 드는 상대가 글을 잘 썼다면 기억조차 안난다. 친구의 말에 공감이 가서 더 고민하지 않고, 진솔하면서도 길지 않게 글을 썼다. 희망 상대에 대한 글로 데이터 폼 작성은 끝났고, 마지막으로 사진을 제출해야 했다. 그런데 사진을 고르는 것도 쉽지가 않았다. 잘 나온 사진을 골라야 했지만 보정이 과한 사진은 걸러야 했고, 실물보다 못한 사진도 걸러야 했다.

먼저 가입한 친구들에게 들은 얘기인데 여자는 사진이 중요하다고 한다. 그래서 적당한 사진이 없으면 매니저가 스튜디오에서 촬영하는 것을 권한다고 했다. 마침 작년에 친구와 스튜디오에서 찍은 사진이 있어서 그 사진을 제출했고, 매니저는 화사하게 잘 나왔다며 좋다고 했다. 참고로 남자는 사진에 대한 기준이 좀 관대하다고 한다. 아무래도 상대적으로 남자는 여자의 외모를, 여자는 남자의 경제력을 더 중요시해서 그런 게 아닐까 싶다.

며칠 후 모든 서류가 완비되었다는 문자가 왔다.

이제야 Step 2 까지 끝났다. 그날 저녁, 상담 매니저에게 바통을 넘겨받은 매칭 매니저에게 인사 전화가 왔다. 그리고 다음 날 오후 매칭 매니저의 문자를 받았다.

"매칭된 상대방의 프로필 정보가 발송되었습니다."

드디어 돌고 돌아서 온 결혼정보회사에서 첫 프로필을 받았다.

어떤 사람의 프로필이 와있을지 두근거렸다. Step 3 가 시작되는 순간이었다.

Step 3. 만날 사람 고르기

나의 첫 매칭 상대는 어떤 사람일까?

궁금함과 함께 떨리는 마음으로 메일함을 열어 보았다.

두 명의 프로필이 와있었고, 두 명 다 나보다 4살 많은 사람들이었다. 프로필에는 성(姓)과 사는 곳, 직장, 학력, 가족 사항, 키, 취미 등과 함께 사진을 볼 수 있었다. 소득 정보는 따로 알려주셨다.

우선 한 명은 인상이 별로여서 패스했고, 나머지 한 명이 고민됐다.

소득도 높은 편이고, 인상도 좋으셨는데 여자 보는 눈이 까다로울 거 같다는 의구심이 들었다. 다음날 매니저에게 연락이 왔다.

한 명은 마음에 안 든다고 했고, 나머지 한 명은 머뭇거리니 여자들에게 인기 많고 후기도 좋은 분이라며 추천했다. 그 말을 곱씹어보니 어느 정도의 만남을 가졌는데 남자가 추가 만남을 거절했을 가능성이 높았다. 매니저가 좋게 포장해서 한 이야기일 수 있지만 굳이 의구심을 가진 첫 만남을 하고 싶지는 않아 거절했다.

일주일쯤 후 다시 두 명의 프로필이 도착했다. 이번에는 나보다 2 살 많은 사람과 5 살 많은 사람이었다. 인상은 두 명 다 괜찮았다. 그런데 하나씩 걸리는 점들이 있었다.

먼저 2 살 많은 사람은 직업이 안정적이긴 했지만 나보다 연봉이 적었는데 차이도 좀 났다. 연봉이 나보다 월등히 많은 걸 원하는 건 아니지만 조금이라도 높은 걸 원한다.

다른 한 사람은 무난한 조건들을 갖췄는데 나이가 걸렸다. 가입할 때 1~2 살 정도 차이의 또래가 좋다고 했었는데 결혼정보회사에서 가장 많은 성혼 커플들의 나이차는 3~4 살이며 그렇게 매칭되는 편이라고 했다. 그래서 폭을 넓혀 3~4 살 차이는 예상했는데 5 살 차이는 컸다.

프로필을 받으면 바로 O, X 를 가릴 수 있을 줄 알았는데 현실은 △가 더 많았다. 만약 이 사람들이 선이나 소개팅으로 들어왔다면 별 고민 없이 만났을 것 같다. 실제로 만나보니 소득은 나보다 적지만 사람 자체가 너무 좋을 수도 있고, 5 살이 많아도 나이차가 별로 안 느껴질 가능성이 있기 때문이다. 하지만 결혼정보회사라서 신중함이 필요했다. 세속적인 표현이지만 돈을 내고 소개를 받는 결혼정보회사에서 가능성을 확인해 보기 위해 6 번의 만남 중 1 회를 차감할 수는 없었다. 내가 원하는 조건을 모두 갖춘 사람을 바라는 건 아니지만 최대한 갖춘 사람을 만나고 싶어서 가입한 곳이다.

결국 이 사람들도 거절하기로 결정했다.

4 명의 프로필을 받아보니 매니저에게 내가 원하는 조건을 좀 더 명확하게 전달하는 것이 좋을 것 같았다. 그런데 막상 생각해 보니 내가 원하는 조건들은 추상적인 조건들이 많았다. 선하고, 가치관이 맞으며 말이 잘 통하는 것이 중요하다고 생각하는데 이건 만나보지 않으면 알 수가 없다. 그래서 객관적인 지표를 가진 조건들을 추가로 생각해야 했다.

앞의 거절 이유들을 생각하며 매니저에게 2 가지를 얘기했다.

나이는 가능하면 2~3 살 차이 위주로 매칭해 줬으면 좋겠고, 소득은 나보다 높았으면 좋겠다고 했다. 매니저는 소득 부분은 바로 OK 했고, 나이는 남자들이 3~4 살 이상 연하를 선호하기 때문에 쉽지 않지만 노력해 보겠다고 했다.

이후에 한 명의 프로필을 추가로 받았다. 이번에도 4살 많은 사람이었는데 학교, 직업, 재산 상황이 고스펙이어서 좀 부담스러웠다. 매니저에게 솔직하게 말하니 내 인상이 좋아서(?) 잘 성사될 거 같다며 만남을 추천했다. 그래도 고민이 됐던 나는 우선 이 사람과의 만남을 보류하고, 다음 프로필을 받아 보겠다고 했다. 이쯤 되니 한 번 만나봐야 내가 이곳에서 어떤 사람을 만날지 가늠해 볼 수 있을 것 같았다. 그래서 추가로 소개받는 사람과 보류했던 사람 중 한 명을 만나보기로 마음먹었다.

며칠 후, 추가 프로필이 왔는데 나이는 내가 선호하는 3살 차이에 안정적인 직장을 다니며 재산도 어느 정도 있는 사람이었다. 인상도 나쁘지 않았는데 별로 만나고 싶지 않았다. 이전의 거절들에는 이유가 있었는데 이번에는 딱히 이유도 없었다. 참 신기한 일이다. 이유는 없지만 내 마음이 그랬다. 그래서 보류했던 그 사람을 만나기로 결정하고, 매니저에게 연락하니 바로 만남이 진행되었다. 다음 날 우리 집과 가깝고, 상대도 그리 멀지 않은 장소에 날짜와 시간까지 정해주었다. 어느덧 Step 4 앞까지 왔다.

Step 4. 첫 만남

만남을 수락한 지 얼마 안 된 거 같은데 어느덧 첫 만남의 날이 왔다. 약속 시간에 맞춰 카페 앞에 도착하니 카페 안으로 들어가는 한 남자의 뒷모습이 보였다.

오늘 만나게 될 남자구나!

역시 그 느낌이 맞았고, 그 남자는 자리에 먼저 앉아 있었다. 곧 나도 맞은편 자리에 앉으며 얼굴을 마주했는데 순간 매우 놀랐다. 사진에서 봤던 분과 다른 분이 앉아 있었기 때문이다. 친구를 비롯한 결혼정보회사 후기에서 사진과 매우 다른 사람들이 종종 있다는 건 들었지만 젊은 사람들의 이야기로만 생각했지 중년의 나이에 이렇게 뽀샵이 심한 사진을 제출할지는 몰랐다. 전혀 예상치 못한 상황에 많이 당황스러웠지만 이내 평정심을 되찾고, 가벼운 인사말과 함께 대화를 시작했다. 다행스럽게도 첫인상과 달리 대화는 매끄럽게 잘 이어졌다. 하는 일에 대한 이야기부터 최근 사회 이슈, 결혼관까지 서로의 생각들을 주고받으며 대화가 잘 통한다는 느낌을 받았다. 그리고 사진과 많이 달라서 놀랐던 외모도 대화를 나누다 보니 적응되기 시작했다. 그런데 오늘의 만남은 단순히 이야기를 나누기 위한 자리가 아니다. 내가 배우자감으로서 어느 정도 어필이 될지 알아봐야 했다.

결혼관에 이어 자연스럽게 이상형에 대해 물었는데 외모, 직업, 성격이 맞는 사람을 원한다고 했다. 아마 이 3 가지 조건은 이 분 뿐만 아니라 나를 포함한 대부분의 사람들이 결혼 상대로써 중요하게 볼 것이다. 단지 그 기준선이 다를 뿐인데 이 분은 외모를 가장 중요시했다. 외모가 충족되지 않으면 다른 어떤 면이 최고여도 눈에 들어오지 않는다고 했다.
이 말의 의미는 나의 외모가 충족되지 않는다는 뜻인 것 같았다. 만약에 나의 외모가 마음에 들었으면 굳이 이 얘기는 하지 않았을 테니까. 그런데 의외로 이 말이 기분 나쁘지는 않았다. 나도 이 사람의 외모가 마음에 들지 않았고, 상대방의 의견을 존중하기 때문이다.

집에 와서 생각해 보니 이 부분이 그와 나의 결정적 차이였던 것 같다. 결혼이라는 같은 목적을 가지고 만났지만 그분은 본인이 정해놓은 길로만 가야 하는 방향성을 가지고 나왔고, 나는 내가 가고 싶은 길만이 아닌 다양한 길로 목적지에 갈 수 있다는 방향성을 가지고 나갔다. 누구의 방향성이 맞고 틀림의 문제가 아니었다. 목적은 같았으나 방향성이 다른 두 사람이 만난 것뿐이었다. 그리고 이야기를 나누다 보니 첫 만남이었던 나와 달리 그는 꽤 오래전부터 결혼정보회사 활동을 해왔다는 걸 알았다. 아마 그는 그동안의 만남들을 통해 이런 방향성을 정했을 것이다. 그런데 방향성이라는 건 경험치를 반영하는 것이기 때문에 언제든지 바뀔 수 있다.

실은 나도 그동안 내가 정해 놓은 길로만 결혼이라는 목적지에 가려고 했었고, 그 길이 아니면 결혼이라는 목적지를 아예 지울 생각이었다. 그런데 시간이 흘러 결혼이라는 목적지에 꼭 가고 싶어졌다. 그래서 모로 가도 서울만 가면 된다는 속담처럼 내가 정해 놓은 길만이 아닌 다양한 방법으로 목적지에 가보겠다는 마음이 생겼다. 그래서 그 방법들 중 하나로 결혼정보회사에 가입했다. 하지만 마음먹은 것처럼 실제로 할 수 있을지 나 스스로에게 의문이 들었는데 이번 만남으로 해결된 것 같다.

애프터에는 실패한 것 같지만 나의 시야를 넓혔다는 걸 확인한 것만으로도 가치가 있었다. 또한, 한 번 만나보니 다음 만날 사람을 고르는 기준도 다시 세울 수 있게 됐다. 첫 술에 배 못 부르듯이 남은 기회를 통해 차근차근 채워 나가 보려고 한다.

이제 다시 Step 3 으로 돌아가야 할 시간이다.

Step 5. 두 번째 만남

첫 만남을 가진 날 집에 돌아오며 그와 나의 인연은 여기까지라고 생각했다. 그리고 그날 밤 그가 보낸 두루뭉술한 문자를 보고 나서 더욱 확신이 들었다. 다시 Step 3 으로 돌아와 만날 사람을 골라야 했다. 각오하고 가입했지만 프로필을 보고, 만날 사람을 고르는 일은 생각보다 힘들고 어려웠다. 그래도 이제 한 번 만나봤으니 만날 사람을 고르는 기준이 좀 더 명확해졌고, 나의 시야가 넓어진 걸 확인했다는 수확이 있어서 힘이 났다. 그런데 프로필은 내가 받고 싶을 때 받을 수 있는 게 아니라 정해진 기간에 주기 때문에 기다려야 했다.
그리고 새 프로필을 기다리는 동안 예상치 못한 일이 생겼다.

첫 만남을 가졌던 그에게서 만나자는 문자가 온 것이었다.
다음 만남에 대한 시그널을 못 받았던 나는 당황스러움과 함께 에프터를 받은 것에 대한 흐뭇함이라는 어울리지 않는 두 가지 감정을 동시에 느꼈다. 더 이상 첫 만남에서 마음에 안 들면 단칼에 거절하던 예전의 내가 아니었다. 다음 만남을 수락하고, 바로 날짜와 장소를 정했다.

그런데 다음 날 예상치 못한 일이 또 하나 생겼다.
메일함에 매니저가 보낸 메일이 하나 와있었다.

**사이트에서 프로포즈 정보를 확인하실 수 있습니다.

어머나.. 뭐야 뭐야... 두 남자가 동시에 나를 마음에 들어 하는 거야? 둘 중 누구를 선택해야 하지?
10 대 소녀로 돌아간 것 같이 설레는 마음으로 깨방정을 떨며 메일을 열었고, 그 설렘은 메일을 열자마자 와장창 무너졌다. 정말 죄송하지만 프로포즈하신 분은 선으로 들어와도 안 만나고 싶은 분이었다.
내가 받은 프로포즈에 대해 부연 설명을 하자면 이 프로포즈는 '청혼'의 개념이 아니다. 결혼정보회사 사이트에서 이성의 프로필을 검색해 마음에 드는 이성에게 만나고 싶다는 의사를 전하는 것이 이곳에서의 '프로포즈'이다. 상대가 만나고 싶다고 제안을 하는 거라서 프로포즈를 받은 사람은 횟수 차감 없이 만날 수 있다는 이점이 있는 제도이다. 그럼에도 불구하고 이분은 만나고 싶지 않아 거절했다. 잠깐의 설렘은 잊고, 다시 두 번째 만남에 집중해야 할 때였다.

시간이 흘러 두 번째 만남의 날이 왔고, 그를 다시 만났다.

여전히 그의 외모는 마음에 들지 않았지만 여전히 대화는 잘 이어졌다. 이번 만남에서 그는 주관이 매우 뚜렷하고, 경제관념이 있는 착실한 남자라는 느낌을 강하게 받았다. 그런데 흥미롭게 대화를 이어가던 중 나와는 꽤 다르게 생각하는 부분들이 있어서 몇 번 멈칫했다. 아직 이른 이야기이지만 부부는 마주 보는 것이 아닌 한 방향을 바라봐야 한다고 하는데 서로 다른 방향을 향하는 게 아닐까 하는 걱정이 되서였다.

그와 헤어진 후, 뒤늦게 결혼에 관심을 가지며 노력하는 나를 응원하는 유부녀 친구에게 조언을 구하니 이렇게 말했다.

"그 사람이 가진 생각들이 너와 좀 다른 거지 이상한 생각은 아닌 것 같아. 나랑 비슷한 생각들도 있고. 네가 걱정할 정도의 다름이 아니야. 나도 남편이랑 연애 때부터 지금까지도 생각이 다를 때가 많아."

나이가 들면서 살아온 세월에 비례해 본인의 주관이 뚜렷해지는 건 어찌 보면 당연한 일이다. 나도 나 스스로 느끼지 못할 뿐 그런 면이 꽤 많이 있을 것이다.

나와 큰 결이 비슷하고, 자기만 옳다고 주장하거나 비윤리적 또는 사회에 반하는 신념만 아니면 다양성으로 인정해야 할 부분이었다.
생각해보니 친구나 가족, 지인 등이 나와 같은 생각을 갖고 있지 않다고 걱정하거나 고민한 적은 없었다. 그런데 '남편감'이라는 이유로 너무 엄한 잣대를 가지고 상대를 관찰한 것 같았다.

그러다 문득 얼마 전 백상예술대상에서 대상을 받은 박은빈 배우의 소감이 생각났다.

"각자 가지고 있는 고유의 특성을 다름이 아닌
다채로움으로 인식하기를..."

인상적인 소감이라고 생각했는데 내 삶에 접목할 생각은 못했던 것 같다. 그와 나의 생각이 다름을 다채로움으로 생각할 수도 있었는데 '나와는 다른 사람이네'라며 인연이 아니라고 못 박았던 게 아닐까?
오히려 서로 같은 생각에만 머무는 것이 아닌 다른 생각들을 나눈다면 다양한 시각으로 세상을 바라볼 수 있어서 삶이 더 풍요로워질 수 있다.

이런 생각이 드니 새로운 결심이 섰다.

'한 번 더 만나봐야겠다!'

어느새 Step 6 으로 넘어갈지 아니면 다시 Step 3 으로 돌아가야 할지 기로에 서있다.

삼프터의 실패로 현실을 직시하다!

많은 생각 끝에 두 번의 만남을 가졌던 첫 소개남을 한 번 더 만나보기로 결정했다. 그는 두 번째 만났을 때도 첫 만남 때와 같이 그날 저녁 두루뭉술한 매너 문자를 보냈고, 이후 연락이 없었다. 그때처럼 며칠 더 지나서 연락이 올 것 같았다. 그래서 이번에는 내가 좀 더 적극적으로 행동해야겠다는 마음을 가지고 가볍게 안부 문자를 보냈다. 그런데 몇 분 후쯤 올 줄 알았던 그의 답장은 1시간이 넘어도 오지 않았고, 이런 상황을 예상 못한 나는 매우 당황했다.

일부러 근무 시간을 피해 저녁 시간에 보냈는데 설마 씹힌 것인가?

1시간이 더 지나서야 간단한 대답과 함께 즐거운 저녁 보내라는 답장이 왔다. 분명 답장을 받았는데 안 받은 느낌이었다. 그리고 즐거운 저녁 보내라는 말이 오늘이 아닌 내 인생에 남은 모든 저녁을 즐겁게 보내라는 것 같았다. 그가 삼프터를 신청하지 않아도 자연스레 문자가 오고 가면 내가 먼저 얘기하려고 했었는데 2시간이 넘는 답장 텀과 마무리를 짓는 듯한 문자를 보니 대화를 더 이어 나갈 말과 마음이 모두 없어졌다.

첫 만남에서 그의 에프터 시그널을 눈치 못 챘듯이 두 번째 만남에서 삼프터를 안 하려는 시그널도 눈치 채지 못했다. 내가 결혼정보회사 초짜라서 그가 보내는 시그널을 눈치 못 챈 걸까? 아니면 그가 결혼정보회사 만렙인 사람이라 능수능란하게 시그널을 감춘 걸까?
아직도 잘 모르겠다. 한 가지 확실한 건 '삼프터는 없다'는 것이었다. 그리고 그와 한 번 더 만날지에 대한 많은 고민 끝에 만나보기로 결정했는데 가장 중요한 그의 의사를 간과하는 과오를 범했다.

실은 그에게 문자를 보내기 전 날 매니저에게 2명의 새 프로필을 받았었다. 그중 한 분이 괜찮아 보였는데 만남을 수락하면 매니저가 바로 날짜를 잡아주기 때문에 삼프터와 겹칠 가능성이 있었다. 그리고 삼프터를 나가면서 새로운 사람을 만나고 싶지 않았다. 그래서 우선 새로운 사람은 보류하고 삼프터의 결과에 따라 결정하기로 했다. 그런데 안타깝게도 삼프터는 글렀다. 그래서 보류했던 사람을 만나겠다고 매니저에게 전했다. 매니저는 만남을 잘 진행해서 연락 주겠다고 했는데 아직까지 연락이 없다. 나도 만남을 바로 수락한 게 아니라 상대도 충분히 생각할 시간이 필요하다고 생각했다. 그런데 2~3일이 지나도 연락이 없어서 혹시나 하고 결혼정보회사 선배인 친구에게 물어보니 이렇게 대답했다.

"남자가 거절했을 가능성이 높아!"

생각해 보니 첫 만남은 수락한 날 바로 약속을 정했었는데 일주일이 돼 가는 지금까지 연락이 없는 걸 보면 거절했을 가능성이 높아 보인다. 매니저가 바로 거절했다고 하면 성의 없어 보이므로 최대한 시간을 끌어둔 뒤 그 사이 괜찮은 사람을 찾아 자연스럽게 다음 소개로 넘기는 게 서로에게 원만할 것 같았다.

이렇게 되니 삼프터와 겹칠까 봐 대답을 미뤘던 내가 가소로웠다.

내가 그분들보다 우위에 있다고 생각하지는 않았지만 결정권은 내가 가지고 있을 거라는 마음이 무의식 중에 깔려 있었던 것 같다.

이런 게 결혼정보회사에서 현타 맞는다는 느낌일까?

썩 마음에 드는 남자가 아니어도 만나보겠다는 큰 결심을 했다고 생각한 나를 아직 멀었다고 꾸짖는 것 같았다. 이렇게 현타를 맞았으니 이제 앞으로 갈 길은 둘 중 하나이다.

1. 더 내려놓는 건 불가능하니 환불!

2. 남은 만남을 위해 좀 더 노력해 보자!

나는 아직 한 명 밖에 만나보지 않았고, 만남 거절도 한 번이었으니 1번은 시기상조이다. 그래서 2 번을 택하기로 했다. 하지만 한두 번 더 반복된다면 그때는 다른 결정을 할 수도 있다.

우선 지금은 마음을 다스리며 다음 프로필을 기다려야 할 때이다.

결혼정보회사에 가입하면 안 되는 사람을 만났다.

시간이 흘러 새로운 두 사람의 프로필을 받았다.

두 사람 중 장거리라는 단점이 있지만 내년에 수도권 발령 예정이라는 푸근한 인상을 가진 사람을 만나보기로 했다. 만남을 수락하고 몇 시간 후 약속이 정해졌다. 그날 확실히 알게 되었다. 만남을 수락한 다음날까지 약속이 잡히지 않는다면 상대가 거절했다는 뜻이라는 것을... 그리고 이번 만남을 통해 하나 더 알게 되었다.

하나를 보면 열을 안다는 속담이 명언이라는 것을...

그와의 만남은 시작부터 문제였다.

약속 시간 1 시간 반 전에 30 분 늦추자는 그의 문자가 와있었다. 내가 준비 중이라 바로 못 봤더니 5 분에서 10 분 늦을 거 같다는 문자가 이어서 와있었다. 첫 만남인데 약속 시간 1 시간 반 전에 시간을 미루는 상황을 어떻게 받아 들어야 할까? 맞선이나 소개팅에서 당일에 시간을 미루는 사람은 처음 봤고 주위에서 들어본 적도 없는 것 같다. 너무 황당했지만 먼 곳에서 오는 사람이니 이해하기로 했다. 그리고 내가 문자를 바로 확인 못한 것도 약간의 과실이 있는 것 같아 도착 시간에 맞춰 가겠다고 했다.

그는 10 분에 도착 예정인데 넉넉히 15 분에 보자고 했고, 15 분이 아닌 18 분에 도착했다. 깐깐하게 따지고 싶지는 않지만 결국 늦춘 시간에서 더 늦게 왔다. 그런데 이건 시작일 뿐이었다. 만나면 정중하게 사과할 줄 알았는데 인사를 하는 동시에 바로 음료를 주문하러 가버렸다. 만약 이 분이 사과만 제대로 했다면 별일 아니었을 텐데 아무렇지도 않아 하는 태도에 기분이 언짢아졌다. 그렇지만 초반부터 얼굴을 찌푸리고 있을 수는 없어서 최대한 감정을 감추며 대화를 시작했다.

첫인상만으로 그를 판단하기에는 이르다. 대화를 통해 차근차근 알아보기로 했다. 그런데 유감스럽게도 그와의 대화는 길게 이어지지 않았다. 그리고 대화를 나눌수록 사진에서 느껴졌던 푸근함은 전혀 없고, 까칠하고 부정적인 사람이라는 느낌이 커져갔다. 다른 건 그렇다 치고, 친형의 결혼 생활에 대해 매우 부정적으로 얘기하는 걸 보고 대체 왜 결혼정보회사에 가입했는지 의문까지 들었다.

그와 나의 결이 맞지 않는다는 느낌이 강해졌지만 첫 만남에서 얼마나 맞을까 싶어 그의 장점이나 공통점을 찾기 위해 노력했다. 하지만 그는 대화에 집중은커녕 테이블 밑으로 휴대폰을 흘긋흘긋 보며 짧게 타자도 두어 번 쳤다. 수업시간에 선생님 몰래 문자 보내는 아이 같은 너무 매너 없는 행동이었다. 소개팅이나 맞선 중에는 휴대폰을 안 보는 것이 가장 좋지만 메시지를 확인하거나 보내야 할 일이 있을 수 있다. 그럴 때 보통은 상대에게 양해를 구한 후 메시지를 확인하고 보내는데 그는 그걸 모르는지 아니면 그마저도 귀찮은지 그렇게 행동했다.

여기까지도 이미 소개팅과 맞선에서 만난 남자 중 최악이라고 생각하고 있었는데 더 최악이 남아 있었다. 그가 약속에 늦은 이유였다.
나는 당연히 거리가 멀어서 교통상황 때문에 늦었을 거라고 생각했는데 오전에 등산을 하고 왔다는 것이다. 취미에 대해 말하다 엉겁결에 튀어나온 말 같았는데 더 놀라운 건 내가 알던 장거리가 아닌 30분 정도 거리에서 출발했다고 했다.
한마디로 본인 할 일 다 하고 오느라 약속에 늦은 것이다.
이때 확실히 느꼈다. 이 사람은 매너만 없는 것이 아니라 예의가 없는 사람이라는 것을... 만남 전에 할 일이 있을 수 있지만 약속 시간에 지장을 줄 수 있는 일은 피하는 것이 일반적이다.

등산 얘기를 듣는 순간 머리가 띵해서 그 다음부터 무슨 얘기를 했는지도 잘 모르겠다. 그러는 사이 그는 다른 볼 일이 생겨서 가야 한다며 '다 드셨죠?'라고 묻는 척을 한 후, 다 마시지도 않은 내 커피를 가져가며 정리했다. 만난 지 1 시간도 채 안 되는 시간이었다. 이렇게 나는 커피 한 잔도 다 마시지 못한 채, 소중한 두 번째 횟수가 차감되었다.

씁쓸하게 집에 오는데 날씨는 또 왜 이리 화창하고, 거리에는 행복해 보이는 연인들이 많은지 많이 울적했다. (거리에는 항상 연인들이 많은데 이럴 때 더 많아 보이는 착시 현상이 일어나곤 한다.)
10 년 전이었으면 가까운 친구를 불러내 한탄했을 텐데 이제 그러기도 민망하다.

이번 만남에서 내가 가장 크게 느낀 건 상대에게 1 시간도 집중 못할 사람은 결혼정보회사 만남에 나오지 말아야 한다는 것이었다. 물론, 상대가 마음에 안 들어서 그러겠지만 상대는 그 사람이 마음에 들어서 참는 것일까? 아니다. 상대에 대한 기본적인 예의를 지키는 것이며 첫인상이 마음에 안 들었어도 어떤 사람인지 알아보려는 노력을 하는 것이다.

결혼정보회사는 결혼이 꼭 하고 싶은 사람들이 큰돈을 들여온 곳이며 시간을 내어 나오는 자리인데 이 정도의 노력은 해야 하지 않을까? 만약에 이 정도의 노력도 어렵다면 상대가 불쾌하지 않을 대화 정도는 나눌 수 있기 바란다.

이마저도 어려울 거 같은 사람은 결혼정보회사에 가입하지 않았으면 좋겠다.

상대의 소중한 만남 횟수와 시간 낭비 방지를 위해!

그리고 인간적인 도리로서!

이성에 대한 외모 마지노선이 움직일 수 있을까?

어느덧 한여름이 됐다.

그동안 여러 명의 프로필을 받았고, 그중 딱 한 명만 수락했는데 아쉽게도 그 사람이 거절했다. 그렇게 한 달 가까이 만남이 이루어지지 않자 매니저가 '미차감' 만남을 제안하였다.

> **미차감 만남이란?**
>
> 계약한 만남 횟수에서 차감하지 않는 일종의 보너스 만남이다.
>
> 보통 제안이 온 사람은 횟수가 차감되지 않으며 상대만 차감된다.

그동안 6명의 미차감 제안이 있었는데 호감 가는 사람이 없어서 다 거절했었다. 그래서인지 이번에는 4명을 동시에 소개하며 꼭 만나 보라고 했다. 많이 만나봐야 나에게 맞는 더 좋은 사람을 고를 수 있고 만남 후 좋은 피드백이 많아야 더 많은 매니저들이 나를 소개해준다며 매니저가 처음으로 적극적으로 설득했다.

4명의 프로필을 받아보니 이전의 미차감 소개와 마찬가지로 내 기준의 마지노선을 넘는 부분들이 있어서 거절하려고 했다. 그런데 매니저의 설득이 어느 정도 일리가 있어 보여 고민 끝에 2명을 만나보기로 했다. 결혼정보회사에 가입할 때 넓혔던 남자 보는 기준을 한 번 더 넓혀야 할 때가 온 것 같아서였다.

미차감 만남에 대해 부가 설명을 붙이자면 대부분 나처럼 제안받는 쪽에서 내켜하지 않는 경우가 많다. 외모, 직업, 연봉 등의 조건 중에서 크게 마음에 들지 않는 부분이 한 가지 이상 있어서이다. 그래서 매니저가 내켜하지 않는 쪽에 부담이 없는 미차감으로 진행시키는 것이다. 반대로 차감되는 쪽은 흡족한 경우가 많다. 그래서인지 수락하자마 약속이 정해졌다.
첫 번째로 만나는 사람은 나보다 5살이 많았다.

나이차에서 이미 내 기준의 마지노선이 넘었고, 그걸 상쇄할만한 호감 가는 점이 없어서 거절했었다. 그렇지만 4 명 중 가장 인상이 좋았고 만나보면 더 괜찮을 수도 있다는 일말의 가능성을 가지고 만나보기로 했다. 만나보니 사진에서 본 그 느낌 그대로 인상이 좋았다. 대화도 편안하게 잘 진행되었고 인품도 좋아 보였다.

좋은 사람이었다.

좋은 사람이긴 한데...

참 좋은 사람이긴 한데...

딱 거기까지였다. 좋은 사람인 건 알겠으나 남자로서의 매력이 전혀 느껴지지 않았다. 마음씨 좋은 거래처 사장님 같은 느낌이었다.

나보다 5 살이 많았지만 10 살 이상 많아 보이는 외모의 영향이 컸다.

지금까지 이성과의 만남 중에 나이가 많이 들어 보여서 호감이 안 생긴 건 이번이 처음이었다. 내가 나이 듦에 따라 상대 나이도 많아져서 생긴 일이겠지만 나이가 많은 것과 나이보다 훨씬 더 들어 보이는 것은 별개의 문제이다. 나이 들어 보이는 외모가 가장 먼저 들어오니 이성의 감정이 전혀 느껴지지 않았다. 나도 나이가 많으니 어느 정도는 감수해야 한다고 생각했지만 아무래도 이 분은 안 되겠다는 결론을 내렸다. 외모의 마지노선을 움직이는 정도가 아닌 선 자체를 없애야 할 것 같아서였다.

나이가 들수록 남자 보는 기준을 넓혀야 하는 건 맞지만 아예 없애는 건 곤란하다. 외모의 선을 없앤다면 다른 선들도 차차 없앨 가능성이 높기 때문이다. 그러다 사랑하지 않는 사람과 결혼할 수도 있다. 그런 결혼이 무슨 소용이며 결혼한다 한들 잘 살 수 있을까?
죽을 만큼 사랑해도 힘든 게 결혼 생활인데 사랑 없는 결혼은 상상조차 할 수 없다. 불타는 사랑은 꿈꾸지 않지만 은은한 사랑이 꼭 밑바탕에 깔려있어야 한다.

남들 눈에 상관없이 내 눈에 괜찮아 보여야 연애를 시작할 수 있으며 결혼까지 이어질 수 있다. 나는 동안이나 꽃미남일 찾는 게 아니다. 본인 나잇대로 보이는 평범한 사람을 만나고 싶을 뿐인데 그게 욕심인 걸까? 이 부분에 대해서는 아직 결론을 내릴 수 없다.
하지만 한 가지 확실한 건 외모의 마지노선을 움직일 수는 있지만 없애지는 못할 거라는 것이다. 다음에 만날 사람은 6 살이 더 많아서 걱정되기 시작했다.

그런데 그분을 보는 순간 그 걱정은 기우였음을 깨달았다.

이성에 대한 나이 마지노선이 움직일 수 있을까?

나는 20 대부터 또래의 남자를 선호했다.

30 대 초반에 5 살 많은 남자와 연애를 한 적이 있지만 그게 처음이자 마지막이었다. 그 이후 10 여 년 만에 5 살 많은 남자를 만났고 10 살 이상 많아 보이는 외모 때문에 이성으로 느껴지지 않았다.

그런데 다음에 만날 사람은 6 살이 많다. 어쩌지?

걱정이 많이 됐지만 약속을 했으니 만나기 보기로 했다

그런데 막상 그의 얼굴을 보는 순간 많이 놀랐다.

이전에 만났던 사람보다 10 살은 어려 보였고, 심지어 내 또래로 보였다. 그런데 여기서 한 가지 먼저 말해두고 싶은 건 젊어 보이는 것과 잘생긴 것은 무관하다는 것이다. 아무튼 신기했다.

그러나 안심하는 것도 잠시, 이야기를 나누기 시작하자 그의 말투는 평범하지 않았고 내가 아닌 다른 곳을 쳐다보며 말했다. 사시임을 직감했다. 사시가 결혼에 중대한 영향을 끼칠 거 같지는 않았지만 이 정도면 좀 심각하다 싶었다. 그런데 이야기를 시작한 지 10~20 분 정도 지나서였을까? 그때부터 내 눈을 보고 이야기하기 시작했다.

이게 뭐지?

당황스러웠다. 그리고 그 짧은 찰나에 이분은 사시였던 게 아니라 부끄러워서 나를 못 쳐다본 거라는 생각이 들었다. 사시가 아닌 건 다행이었지만 이것도 못지않게 당혹스러웠다. 그렇지만 치명적인 단점은 아니라서 자연스럽게 이야기를 이어나갔다. 그런데 잠시 후, 그의 웃는 모습을 보고 또다시 놀라고 말았다. 웃는 모습이 아닌 우는 모습 같았기 때문이다. 사람마다 웃는 모습이 똑같지 않지만 이 분의 웃는 모습은 너무도 많이 달랐다. 이때부터 뭔가 불편해지기 시작했다.

대화 내용은 무난했으며 사람도 괜찮아 보였는데 뭐라고 해야 할까? 결정적인 결점은 아니지만 일반적이지 않아서 신경 쓰이는 포인트가 많았다. 앞으로 만나게 된다면 내 눈을 보기까지의 시간이 짧아질 것이고 웃는 모습과 말투도 차차 적응될 것 같다.
하지만 끝끝내 적응이 안 된다면? 정말 한 번도 겪어보지도 생각지도 못한 문제들이었다. 상대의 눈을 바라보며 평범하게 웃으며 말하는 것이 어려운 사람과 결혼이 가능할까?

연애에서 결혼까지 이어지려면 서로 맞춰가야 할 부분들이 많을 텐데 기본적이라고 생각하던 이런 부분까지 감당하고 싶지 않다는 생각이 강하게 들었다. 나이가 들어감에 따라 감당할 부분도 늘어난다고 생각하지만 어디까지 감당해야 하는지에 대한 근본적인 의문이 들기 시작했다. 이 의문은 지금 바로 풀 수 없을 것 같아 차차 풀어나가 보려고 한다.

이번 만남의 마지노선은 나이일 줄 알았는데 아니었다. 나이는 하나의 조건일 뿐이었다. 이번 만남을 통해 한 가지는 확실히 깨달았다. **이성을 볼 때 미리 정해놓은 마지노선이 무의미**하다는 것이다. 이 사람처럼 예상치 못한 특이점을 가진 사람을 만날 수도 있으며 마지노선을 정할 수 없는 부분도 많기 때문이다. 또한, 이 사람에게는 해당

사항이 없었지만 어느 부분에서 마지노선을 넘더라도 다른 부분에서 상쇄할 가능성도 있다. 그래서 **나와 안 맞거나 걱정되는 부분이 있을 때 내가 감당할 수 있을지에 대해서 잘 판단**하는 것이 가장 중요하다는 생각이 들었다.

나는 이번에 만난 2 명 모두 감당할 수 없다고 판단했다.
감당가능한 사람이 얼마나 더 있을지 모르지만 한 명쯤 은 있지 않을까? 그 희망을 가지고 다음 만남을 기다려 보기로 했다.

이번 만남도 꽝인 거 같아요.

얼마 전 만났던 두 사람의 피드백이 좋았는지 바로 미차감 만남 제안이 2 건 들어왔다. 두 사람 모두 이전 미차감 만남 상대들과 마찬가지로 나의 마지노선 기준을 넘는 사람들이었다. 그런데 최근의 만남들을 통해 이성의 마지노선이 크게 의미 없다는 걸 깨달아서 두 사람 중 한 사람을 만나보기로 했다. 그런데 만나기로 한 사람의 프로필 사진을 보니 10 년은 족히 지난 사진 같아 보였다. 이렇게 오래된 사진을 제출하는 사람은 성의가 없고 현재 모습이 가늠이 안돼서 선호하지 않지만 미차감이니 넘어가기로 했다.

며칠 후인 주말 오후, 여느 때처럼 카페에서 만나기로 했다. 집에서 출발한 지 얼마 안 됐을 때 그에게서 조금 늦을 거 같다는 문자가 왔다.

익숙한 이 느낌은 뭐지?

다시 떠오르기 싫은 기억인 결혼정보회사에서 두 번째 만났던 사람이 생각났다. 그 사람은 지금껏 만나본 첫 만남 중에서도 최악이었기에 그 정도는 아닐 거라고 고개를 저으며 천천히 약속 장소로 향했다.
시간이 남아서 카페 화장실에 들러 전체적인 매무새를 점검하고 나갈 무렵, 생각보다 일찍 도착했다는 그의 문자를 받았다. 안도의 한숨을 내쉬며 카페 안으로 들어가 그를 찾았다. 항상 느끼는 점이지만 소개팅이던 맞선이던 가장 어색한 순간이 바로 이 때이다. 서로 어색한 미소를 띠며 인사를 나누는 그 순간이 매번 새롭고, 적응이 안 된다.
그리고 누가봐도 소개팅이나 맞선보는 티가 나서 민망하다.
하지만 모두 찰나의 순간이니 오늘도 잘 견뎌보리라 마음 먹는다.

그의 실제 모습을 보니 사진 그대로 나이가 든 느낌이었고 젊어 보이는 편이었다. 이야기를 나누다 보니 그가 왜 사진과 크게 달라지지 않았는지 알게 됐다. 자기 관리를 철저히 하는 분이었다. 평일 저녁에 라면을 먹을 때는 다음 날 이른 출근을 위해 반 개만 먹으며 담배를 끊은 지도 10 년이 넘었다고 한다. 여자인 나도 라면 먹으면 한 개를 먹는데 남자분이 반 개라니... 식욕이 없는 스타일은 아닌 걸로 보여서 의지와 자제력이 대단하다고 생각했다.

하지만 이분에 대한 호감도는 딱 여기까지였다.
그 뒤로도 한참 이런저런 얘기를 나누었는데 공감대가 별로 없어서인지 남녀사이가 아닌 일상에 가까운 대화들로 이어졌다. 당연히 처음부터 깊은 대화를 나눌 수는 없지만 남녀가 호감 있을 때에 나오는 묘한 기류라고 해야 할까? 그런 게 느껴지지 않았다. 외모와 성격 등이 전체적으로 괜찮아 보이는 사람이긴 하지만 이성으로서의 매력은 안 느껴지는 그런 느낌이었다. 어쩌면 상대도 나에게 비슷한 느낌을 가졌을 수도 있다. 인간의 감정에는 상호작용이 있으니 내가 느끼는 감정을 그분도 느끼지 않았을까? 이 나이에도 서로 이성적 매력을 따지냐고 할 수 있지만 친구와 결혼하려는 게 아니다. 나이에 상관없이 이성에 대한 매력이 있어야 연애를 시작할 수 있고, 결혼도 할 수 있다.

1 시간 30 분 정도의 대화를 나눈 후 그와 헤어졌다.

집에 오는 길은 여전히 화창한 오후였고 거리에는 늘 그렇듯이 연인들이 많았다. 에프터가 기다려지지 않는 만남이라 아쉽긴 했지만 쓸쓸하지는 않았다. 오히려 이런 좋은 날씨에 집에 있는 것보다 예쁘게 꾸미고 나와 누구라도 만난 게 낫다는 생각까지 들었다.

어느새 결혼정보회사의 만남에 적응이 된 걸까?

이번 만남은 꽝이었지만 곧 당첨될 거라는 마음을 가지고 또다시 다음 프로필을 기다려 보기로 했다.

5 명의 남자를 연속으로 만나다

나를 만나고 싶어 하는 사람이 4 명 있다는 매니저의 연락을 받았다. 프로필을 살펴보니 역시 미치감이라 그런지 아쉬운 부분들이 있었지만 물 들어올 때 노 저으라는 말처럼 길게 고민하지 않고 다 만나보기로 했다. 만남을 수락한지 몇 시간 지나지 않아 모두 약속이 잡혔다. 그런데 얼마 지나지 않아 1 건의 미차감 만남이 추가로 제안이 왔다. 제대로 노 젓기를 시작하기로 마음먹어서 5 명을 모두 만나보기로 했다.

20 대에도 5 건의 소개팅을 동시에 진행해 본 적이 없는데 40 대에 이런 일이 생기다니 인생은 정말 알 수 없고 재밌기도 하다. 이전까지는

띄엄띄엄 만났었는데 이번에는 몰아서 3 주 동안 5 명을 만났고, 그 후기들을 써보려고 한다.

1. 3 살 많은 회사원

왜소한 체격에 말수가 적은 편이며 성실해 보이는 분이었다.

대화의 시작은 무난하게 회사 얘기로 시작했는데 연차가 비슷해서인지 공감하는 부분이 꽤 많았다. 그런데 개인적인 이야기로 넘어가니 안 맞는 부분이 많았다. 그 사람이 드라마 보는 걸 좋아한다길래 '힙하게'라는 엉덩이를 만지면 그 사람의 과거가 보이는 사이코 메트리 드라마에 대해 야기를 나눴다. 나는 만약 초능력을 갖게 된다면 현실적으로 가장 실용적인 축지법이 갖고 싶다고 했다. 집 문을 나서면 바로 회사, 회사 문을 나서는 순간 집에 도착하는 게 꿈이라고 하며 어떤 초능력을 갖고 싶은 지 물어봤다. 그는 초능력을 어차피 못 가질 능력이라 생각해본 적이 없고, 생각할 필요도 없는 일이라고 했다.

맞는 말이긴 한데 너무 현실적이며 삭막한 느낌이 들었다.

그래도 처음부터 잘 맞을 순 없으니 한 번 더 만나 볼 생각이 있었다.

그런데 카페를 나와 함께 걸으며 대화를 시작하며 그를 쳐다본 순간 놀라고 말았다. 나도 키가 아담한 편인데 이 분도 못지않게 아담해서 눈높이가 비슷했다. 호빗클럽 결성인가요?

그가 먼저 카페에 앉아 있어서 몰랐는데 옆에 선 그를 보니 프로필보다 4~5cm 는 작은 것 같았다. 큰 키를 바라지는 않지만 그의 키는 고민이 됐다.

2. 동갑인 회사원

결혼정보회사에서 동갑은 처음이었다.

동갑이니 '친구처럼 편안하지 않을까?' 하는 기대를 가지고 약속 장소로 향했다. 그도 마찬가지로 현재하고 있는 일과 회사에 대한 얘기까지는 그럭저럭 괜찮았다.

그런데 개인적인 생각들에 대한 대화는 오래 이어지지 못했다.

어떤 주제에 대한 이야기를 할 때 긍정론으로 종결해 버리는 그의 태도 때문이었다. 나도 한 긍정하는 편이지만 다른 느낌의 긍정론이었다. 예를 들면, 마흔이 넘은 시점에서 회사를 얼마나 더 다닐 수 있을지에 대한 고민과 그만둔다면 어떤 일을 해야 할지에 대한 이야기를 하는데 그는 그만둬도 할 일이 많다고 결론을 내렸다. 틀린 말은 아니었지만 몇 번 더 그런 식으로 결론을 내리는 걸 보니 더 이상 대화를 나누고 싶지 않았다.

3. 6살 많은 회사원

나는 이전 글들에도 썼지만 나이차가 적은 걸 선호한다.

그런데 결혼정보회사에서 몇 명 만나보니 나이에서 느껴지는 차이가 생각보다 크지 않아서 만나보기로 했다. 대화를 나눠보니 나이차는 3명 중에 가장 많이 났지만 대화는 가장 잘 통했다. 그런데 아쉽게도 딱 거기까지였다. 남자로 느껴지지가 않았고, 세상사와 고민 이야기를 나누기 좋은 선배 오빠 같은 느낌이었다.

4. 6살 많은 또 다른 회사원

이 분은 내가 결혼정보회사에서 만난 사람 중에서 프로필과 실제 분위기가 가장 달랐다. 연속으로 나이차 많은 사람을 소개받아서 살짝 고민했지만 착실한 공대출신 부장님처럼 보여서 만나기로 했다.

그런데 만나보니 사진과는 180도 다른 사람이었다. 생김새가 아니라 느낌이 너무 달랐다. 착실한 부장님이 아닌 외모관리를 잘한 능글 지

수 만렙의 부장님 같았다. 능글 지수 만렙답게 대화는 끊이지 않고 잘 이어졌으나 진정성 없는 그의 속마음이 너무나 투명하게 보였다.

5. 1 살 많은 사업가

이 분은 시작부터 조짐이 안 좋았다.

한 참 나갈 준비를 하는데 30 분 정도 사정이 생겨서 30~40 분 정도 늦을 거 같다고 연락이 왔다. 그 말인즉슨 40 분 이상 늦는다는 뜻이다. 이 전에 비슷한 경험이 있어서 맘 편히 1 시간 늦게 보자고 했다. 늦춰진 시간만큼 느긋하게 준비하고 혹시 그가 빨리 도착할까봐 조금 일찍 약속 장소에 도착했다.

하지만 혹시나는 역시나였고 약속 시간이 지나도 그는 오지 않았다. 카톡을 보내니 주차 공간을 찾고 있다고 했다. 이 때 확신이 들었다.

오늘도 글렀구나...

그 예감은 맞았고, 40 분이 지나서야 그에게 도착했다는 전화가 왔다. 하도 어이가 없어서 화도 나지 않았고, 빨리 집에 가고 싶다는 마음만 들었다. 그런데 자리에 앉은 그의 얼굴을 보니 더 빨리 집에 가고 싶어졌다. 당장 피부과에 가야 할 것 같은 피부상태 때문이었다.

한 번도 남자 피부 상태에 대해 신경 써 본적이 없는데 이 분은 심각했다. 놀랐지만 최대한 티내지 않고 대화를 시작했다.
시작이 이러니 대화가 잘될 리 없었지만 그래도 그의 장점을 찾아보려고 나름 노력했다. 그러나 끝끝내 찾지 못하고 헤어졌다.

길게 썼지만 결론은 이번에도 다 꽝이다.
어쩌면 수백 개의 종이 뽑기 판도 대부분이 꽝인데 10 명도 안 만나보고 당첨을 바라는 게 큰 욕심인 것 같기도 하다. 그렇지만 그 수많은 꽝들 중에 당첨은 분명히 있다. 당첨을 뽑기 위해서 지금 내가 먼저 해야 할 일은 나를 만나고 싶어 하는 사람을 최대한 만나보는 것 같다.

어느덧 10 명을 만나 보았고, 이제 내가 이곳에서 만날 수 있는 사람이 어떤 사람들인지 감이 좀 생겼다. 다음 사람부터는 내가 원하는 사람과의 갭이 얼마나 되는지 가늠해 보고 그 갭을 메울 수 있을지에 대해 판단을 해봐야겠다. 그리고 웬만하면 갭을 메우는 방향으로 가보려고 한다.

당첨의 길로 조금씩 다가가고 있다는 느낌이 들기 시작했다.

'인만추'의 끝에서 '자만추'를 외치다!

'인만추'란 인위적 만남 추구의 줄임말이며 '자만추'란 자연스러운 만남 추구의 줄임말이다. (그런데 요즘 '자만추'는 자고 만남 추구라는 뜻으로도 쓰인다고 한다.)

나는 요즘 인만추의 끝판왕이라고 할 수 있는 결혼정보회사에서 사람들을 만나고 있다. 어디에서 만나는지보다 누구를 만나는지가 훨씬 중요하다고 생각하는 나로서는 '인만추'인지 '자만추'인지가 크게 상관없었다. 딱 한 사람만 제대로 만나면 된다고 생각했기 때문이다. 그래서 결혼정보회사에 가입하는 것도 그다지 거부감이 없었다.

단지, 늦은 나이에 만나고 싶은 사람을 만날 수 있을지에 대한 고민이 커서 늦게 가입했던 것뿐이다. 그리고 실제 결혼한 사람들이 자만추보다는 소개팅이나 맞선으로 만나는 경우가 많다는 걸 알고 있어서 인만추가 더 확실한 방법이라고 생각했다. 그런데 이곳에서 여러 사람을 만나보니 왜 사람들이 자만추를 외치는지 절실히 알게 되었다.

지금까지 결혼정보회사를 통해 총 10 명을 만나보았다.
그들 중 1 명은 애프터까지 이어졌으며 4 명은 땡이었고, 5 명은 그저 그랬다. 만약 그저 그랬던 5 명을 결혼정보회사가 아닌 모임 같은 곳에서 자연스럽게 만났으면 어땠을까?
자연스러운 만남이 계속되었다면 키 때문에 남성적인 느낌이 안 들었던 사람이 다른 부분에서 남자로 느껴져서 키가 신경 쓰이지 않을 수 있다. 그리고 이야기가 잘 안 통했다고 느꼈던 사람도 계속 이야기를 나눈다면 통하는 부분이 생길 가능성이 있고, 좋은 선배 오빠 같았던 사람도 만나다 보면 남자로서의 호감이 생길 수도 있다.

물론, 모두 가설이지만 충분히 가능성 있는 이야기들이다.
캠퍼스 커플이나 사내 커플 중에 첫눈에 반한 경우보다 친해지거나 정들어서 커플이 되는 경우가 더 많은 걸 보면 알 수 있다.
솔직히 상대의 외모가 마음에 들지 않는 이상 첫 만남에서 1~2 시간 정도의 대화로 호감을 갖는 건 쉽지 않다. 그렇지만 계속 만나면서 서로를 알아간다면 한 번의 만남만으로는 알 수 없는 이성으로서의 매력이나 첫 만남에서 보지 못했던 장점을 발견할 가능성이 있다.
그래서 평범한 외모를 가진 사람들에게 더욱 필요한 것이 자만추라는 생각이 든다.

이제 와서 자만추를 한다고 대학을 다시 들어갈 수도 없고, 들어간다 해도 이제는 학생이 아닌 교수와 커플이 돼야 할 것 같다. 그래서 캠퍼스 커플은 현실적으로 어려우니 사내 커플도 생각해 봤다. 그런데 회사에 있는 내 또래 남자는 다 유부남이라 회사를 옮겨야 하는데 이직 이유가 사내 커플 때문이라고 말하는 건 생각만 해도 웃기다.

현실적으로 동호회 같은 모임이 좋은데 마음에 드는 괜찮은 모임을 찾기도 어렵고 이제는 나이 제한에 걸리는 경우도 꽤 있다. 이래서 자만추를 추구한다면 한 살이라도 젊을 때 부지런히 움직여야 한다.

다시 생각해 보니 내가 자만추를 추구하지 않고 인만추의 끝인 결혼정보회사까지 오게 된 가장 큰 이유가 더 이상 자만추가 어렵기 때문이라는 걸 잠시 잊었던 것 같다. 소개팅도 맞선도 끊긴 나의 최선이자 최후의 선택으로 결혼정보회사에 가입한 것도 말이다. 그런데 자만추의 소중함을 다시 깨달은 지금 자만추를 위해 뭔가 하고 싶다는 생각이 든다.

40 대가 자만추를 하려면 어떻게 해야 할까?
할 수 있는 게 남아 있긴 할까?
인만추의 끝에서 자만추를 바라보며 다시 생각에 잠긴다.

이후의 결혼정보회사 만남 후기는 저의 브런치 스토리에서 확인하실 수 있습니다.

https://brunch.co.kr/@17years

부록 1

슬기로운 결혼정보회사 이용 방법

올 봄에 가입한 결혼정보회사에서 10 명과 만남을 가졌었다.
몇 개월 동안 경험해 보니 결혼정보회사가 어떻게 운영되고 있는지가 보였다. 그래서 이 책을 읽으시는 분들께 현실적으로 도움이 될 수 있는 결혼정보회사 잘 이용하는 꿀팁을 알려드리려고 한다.
단, 결혼정보회사마다 조금씩 다를 것 같지만 기본적인 메커니즘은 비슷할 것이다.

기본적으로 결혼정보회사는 이윤을 추구하는 상업회사이다.
그래서 결혼정보회사는 회원들의 가입비를 빠른 시일 내에 다 가져가는 것이 목적이다. 성혼비가 있는 회사는 성혼에 신경 쓰겠지만 성혼비보다 가입비를 챙기는 것이 훨씬 효율적인 건 마찬가지이다.
회사에서 아무리 노력을 한다 해도 성혼율이 낮기 때문이다.
가입비를 빨리 차지하는 방법은 회사 계약에 따라 다른데 크게 2 가지로 나뉜다. 내가 가입한 회사처럼 **기간은 무제한이나 횟수로 계약**을 하는 곳은 최대한 만남을 유도해서 횟수를 빨리 차감시키려고 한다. 그리고 **기간은 정해져 있으나 횟수가 무제한**인 곳은 시간이 지나면 계약이 끝나기 때문에 환불에 영향이 큰 초반 외에는 만남 주선을 적극적으로 하지 않는다.

참고로 내가 알아본 큰 회사들은 기간 무제한에 횟수 계약이었다.

회원들의 목적은 좋은 사람을 만나 결혼하는 것이다.
회원이 되면 매니저가 보내주는 프로필을 보고 만날 사람을 정하게 되는데 자칫 매니저의 말만 따르다 좋은 사람은커녕 괜찮은 사람도 못 만나 보고 횟수가 다 차감될 수도 있다. 매니저들이 나쁜 사람들이어서라기보다는 본인의 일을 열심히 일하는 것이다. 매니저가 나의 빠른 횟수 차감을 위해 열심히 일하는 동안 나도 좋은 사람을 만나기 위해 회사를 잘 이용해야 한다. 그럼 결혼정보회사를 최대한 이용하기 위해 어떻게 하면 되는지 단계별로 살펴보겠다.

1) 가입해? 말아?

먼저 결혼정보회사 가입 전 꼭 알아 두어야 할 것이 하나 있다.
내가 결혼정보회사에 가입하는 순간 나는 그 회사의 상품이 된다는 것이다. 사람을 상품이라고 하는 것에 대해 거부감이 들 수도 있지만 몇 개월 겪어보니 확신이 들었다. 가입한 초반에는 신상품이라서 신경을 많이 써주지만 시간이 지날수록 하루빨리 처리해야 하는 재고로 바뀌는 느낌을 받았다.

결혼정보회사 가입 전 누구나 많은 고민을 한다. 나 또한 그랬다.
비싼 가입비에 비해 성혼율은 높지 않고 인터넷 후기들도 안 좋은 경우가 많기 때문이다. 그리고 가장 중요한 건 내가 원하는 사람을 만날 수 있을까? 하는 의문이 들어서였다. 결혼은 둘째치고 원하는 사람을 만나보기라도 하면 다행인데 그러지 못하면 돈은 돈대로 시간은 시간대로 아깝다. 그런데 여기에서 끝나지 않고 마음의 상처까지 받는다면 멘탈까지 흔들릴 수도 있다. 나도 이런 걱정들 때문에 꽤 오랜 시간 고민하다 가입했는데 지금 드는 생각은 고민할 시간에 진작 가입할 걸 그랬다 싶다. 그런데 여기서 '진작'은 너무 좋아서가 아니라 고민하는 동안 시간이 많이 흘러버린 게 아쉽다는 의미이다.
결혼은 나이가 매우 중요한 요소인데 상대적으로 남자보다 여자에게 더 중요하게 여긴다. 딩크가 늘고 있지만 아직까지 결혼에 있어 출산을 기본으로 생각하는 남자들이 많아서이다. 그래서 임신과 출산에 유리한 젊은 나이를 선호한다. 먼저 여자는 20 대와 30 대에서 한 번 크게 갈리고 30 대 초반이 넘는 시점부터 한해 한해 달라진다. 그리고 30 대 중반이 넘어가면 다른 영역으로 나눠지며 40 대가 되면 번외로 넘어간다. 초혼의 시기가 많이 늦어지고 있다지만 이게 현실이다.
그리고 결혼정보회사에서는 좀 더 엄격하게 적용된다. 그렇기 때문에 내가 가입 전 가장 고민했던 부분이 나이였다.

40 대에 결혼정보회사에 가입하는 건 기부하는 것과 같다는 말이 있을 정도로 가능성이 낮지만 몇 번의 고민 끝에 가입했다. 확실한 만남을 보장해 주는 건 결혼정보회사밖에 없기 때문에 큰맘 먹고 투자하기로 한 것이다.

투자는 예금이 아니다. 본전은커녕 다 날릴 수도 있는 걸 잘 알고 있다. 그렇지만 성공하면 원금 이상을 받을 수 있다는 점에 기대를 하고 가입했다.

결혼은 하고 싶은데 이성을 만날 루트가 없어서 고민 중이라면 하루라도 젊을 때 가입하는 것이 낫다고 생각한다. 나보다 먼저 가입한 두 친구들만 봐도 알 수 있다. 각각 30대 중반, 30대 후반이었는데 30대 중반인 친구가 괜찮은 만남 제안이 훨씬 많이 들어왔고, 결혼까지 성공했다.
그렇지만 나도 만날 루트가 꽉 막혀서 가입한 거지 모두에게 추천하고 싶지는 않다. 돈을 주고 가입한 곳인 만큼 조건이 우선 시 되며 계산적이 되기 때문이다. 하지만 30대 초반 이상인데 만날 루트가 나처럼 꽉 막혔거나 결혼하고 싶은 사람의 조건이 있는데 찾기 어려운 사람들에게는 추천한다. 특히, 정량적인 조건이 확실한 사람일수록 더 좋다. 키와 연봉, 직업 등 어느 정도 원하는 조건에 맞춰 프로필을 받을 수 있기 때문이다. 근데 여기서 하나 알아 둘 것이 있는데 나와 조건차이가 많이 나는 사람은 매칭이 어렵다는 것이다. 약간의 차이는 있겠지만 비슷한 수준의 직업, 외모, 나이 등으로 매칭해 준다. 하지만 예외는 있다. 빼어난 미모나 엄청난 자산 등의 특별히 뛰어난 조건이 있다면 원하는 사람을 매칭해 줄 수도 있다.
내가 6 개월 넘게 경험해보니 매칭 상대가 마음에 들 확률은 낮은 편이다. 확률이 낮지만 그래도 추천하는 이유는 이성을 소개받을 수 있는 확실한 루트이며 작은 가능성이라도 가질 수 있기 때문이다. 그런데 마음에 드는 확률이 낮은 정도가 아닌 한 번도 없다면 현실의 나를 객관적으로 바라볼 필요도 있다. 결혼정보회사도 나름의 데이터를 기반으로 매칭해주기 때문에 내가 너무 높은 곳을 바라보는 건 아닌지 뼈아프지만 나를 돌아봐야 한다.

내가 지켜본 바로는 결혼정보회사에서 남자가 여자를 볼 때 직업보다는 외모와 나이를 더 중요시하는 것 같다. 결론적으로 30 대 초반까지의 여성에게 유리하고, 젊을수록 좋다. 그리고 30 대 중반까지는 나쁘지 않은데 30 대 후반부터는 기대를 많이 내려놓고 가입해야 할 것 같다. 마지막으로 나와 같은 40 대는 마음에 들지 않는 사람의 비율이 높을거라는 마음을 가지고 가입해야 한다.
그리고 모든 나이에 공통적으로 예쁠수록 유리하다.

2) 가입

가입하려고 결정했다면 수많은 결혼정보회사 중에 어디를 가야 할지가 고민될 것이다. 나는 친구들이 가입한 곳에 가입했는데 친구들 때문이 아니라 가입자가 가장 많아서 선택했다. 일단은 사람 수가 많아야 만날 기회도 많을 것 같아서였다. 특히, 나처럼 결혼적령기가 지난 가입자의 수는 더 적기 때문에 가장 중요하게 생각했다.
이렇게 본인에게 맞는 기준을 세워 그에 맞는 회사를 찾아서 두세 군데 정도 상담을 받고 결정하는 것을 추천한다.

가입하고 싶은 회사를 정하고 나면 상담 매니저와 상담을 한다.
나도 상담만 받으러 갔는데 상담 매니저의 현란한 말솜씨에 홀려 계약서에 사인할 뻔했었다. 그러니 상담을 갈 때 절대 오늘 가입하지 않겠다는 말을 백번 되새기고 가야 한다. 상담 당일 가입을 하지 않고 왔다면 그 이후부터 결혼정보회사에서 꾸준히 연락이 오기 시작할 것이다. 상담을 받으러 간 자체가 잠재적 회원이니 주기적으로 체크하기 때문이다. 그럼 그때 추가 할인이나 보너스 만남 횟수를 협상하기 유리한 입장이 된다. 특히, 한 회사가 아닌 2 개 이상의 회사와 상담을 하면 비교 대상이 있기 때문에 협상하기 더욱 편해진다. 100% 협상이 된다는 보장은 없지만 어느 정도는 이익을 얻을 수 있으니 잘 협상해 보길 바란다.

3) 매니저와의 관계

가입 상담과 가입 절차까지 함께하는 상담 매니저와는 가입절차가 끝나는 동시에 담당 매칭 매니저를 소개해주며 본격적인 만남을 위한 준비가 시작된다. 보통 결혼정보회사에서 말하는 매니저가 매칭 매니저이다. 상담 매니저는 가입까지만 관여하고 이후 모든 만남 관련해서는 매칭 매니저가 일임한다.

그래서 매칭 매니저와의 관계가 절대적으로 중요하다고 할 수 있다. 그렇지만 매칭 매니저에게 잘 보이려고 내가 맞출 필요는 없다.

엄연히 나는 고객이니 나의 의사가 가장 중요하다. 매칭 매니저의 의견을 어느 정도는 수렴하면서도 내 의견을 잘 전달해야 한다.

그러기 위해서는 먼저 내가 어떤 사람을 원하는지 구체적으로 얘기하는 것이 필요하다. 가입할 때 대략적인 이상형은 데이터폼으로 작성하지만 그 안에 없는 부분들도 많기 때문에 처음부터 매니저에게 정확하게 전달하는 것이 좋다. 그런데 정확한 조건을 전달했는데도 계속 원하는 조건과 거리가 먼 사람만 매칭해 준다면 그 원인으로 2가지를 생각해 볼 수 있다.

① 나의 조건에 비해 너무 높은 스펙을 원하는 경우

② 매니저가 내가 원하는 조건을 캐치 못하는 경우

사실 1번 같은 경우는 매니저의 문제는 아니다. 어려운 일이겠지만 본인을 객관적으로 바라볼 필요가 있다. 그런데 2번의 경우라면 매니저와 해결을 봐야 한다. 다시 한번 원하는 조건을 구체적으로 전달해야 하며 만약에 그랬는데도 반복되면 매니저 교체를 검토해봐야 한다. 매니저 교체는 가입을 도와줬던 상담 매니저나 본사 콜센터에서 하면 된다.

그런데 매니저 교체는 최후의 수단으로 생각해야지 자주 하는 것은 좋지 않다. 한 두 번 정도는 분위기 전환용으로 나쁘지 않지만 3회 이상 매니저를 교체한다면 까다로운 회원으로 분류될 가능성이 높기 때문이다. 그러니 교체를 생각하기 전에 매니저와 인간적으로 충분한 대화를 통해 조율해 보는 것이 좋다. **어떤 사람을 소개해줄지는 매니저 손에 달려있으니 잘 지내야 한다.**

4) 가입 초반의 혜택

결혼정보회사의 많은 후기들 중 공통적인 이야기 중 하나가

'초반에 만난 사람이 가장 낫다'

내가 경험해보니 이 말은 사실이었고, 이유가 있었다.

그 이유는 '**가입비 환불**' 때문이었다. 회원은 더 이상 만남을 원치 않을 때 계약 해지 요청을 할 수 있다. 해지를 하면 가입비를 돌려받게 되는데 환불 금액을 보면 불공정 계약에 가깝다.

우선 가입한 후, 프로필을 받는 순간 가입비의 15%가 차감되며 만나는 날짜를 정하면 만나지 않아도 20%가 차감된다. 그리고 만남 1회부터는 가입비의 80%*(잔여 횟수/총 횟수)로 계산한다.

보통 계약은 기본 만남 횟수 5회 +보너스 OO회로 하는데 실제 계약에서 산정하는 만남 횟수는 보너스를 제외한 기본 만남 5회이다. 즉, 내가 2명만 만나도 가입비의 반도 못 돌려받는다는 이야기이다. 회원이 2명만 만나도 가입비의 반 이상을 가져갈 수 있으니 얼마나 괜찮은 장사인가? 그래서 환불 금액을 줄이기 위해서 초반에 최대한 조건이 좋은 사람을 매칭시켜주는 것이다. 그러니 초반에 받은 프로필 수준이 끝까지 이어질거라는 기대는 하지 않는 것이 좋다.

5) 미차감 만남

가입할 때 내가 만날 수 있는 횟수가 정해진다.

내가 가입한 회사의 기본 만남은 5 회인데 가입비, 프로모션이나 회원의 조건에 따라 보너스 횟수가 정해진다. 보너스 횟수는 보통 1~2 회 정도이며 나이가 어리거나 스펙이 좋거나 외모가 뛰어날 경우 매니저의 재량에 따라 늘어난다.

내가 가입해보니 실제로는 처음 정해진 만남 횟수보다 훨씬 더 많은 만남이 이루어지는데 '미차감' 제도 때문이었다. **미차감 제도란 정해진 기본 횟수 + 보너스 횟수에 포함되지 않는 추가 만남**을 말하며 만남 횟수가 차감되지 않는다고 해서 미차감 만남이라고 한다. 그런데 미차감은 한 명에게만 해당되며 나머지 한 명은 차감된다. 둘 다 미차감 되는 만남도 있다고 하던데 그런 경우는 거의 없을 것 같다.

그렇다면 미차감과 차감의 기준은 무엇일까?

내가 결혼정보회사 직원이 아니라 정확히는 모르겠지만 3 가지로 추측된다. 첫번째는 만남이 잘 이뤄지지 않는 회원의 횟수 차감을 위해 미차감 만남을 주선하는 것이다. 두번째는 특정 상대를 만나고 싶다고 했을 때 그 상대에게 미차감 혜택을 주는 것이다. 세번째는 상대가 먼저 만남을 수락했을 때 나머지 사람에게 미차감 혜택을 주는 것이다. 내가 겪어보니 대부분 첫번째나 두번째 경우인 것 같았다.

보통 동등한 조건의 만남에서는 둘 다 차감이 이루어진다.
그런데 한 명이 미차감이면 그 사람이 더 좋은 조건일 가능성이 높다. 반대로 미차감인 사람에게는 차감되는 사람이 눈에 차지 않는 경우가 대부분이다. 이 사실을 매니저도 잘 알고 있지만 차감을 하기 위해 엄청난 설득을 한다. 그래서 미차감으로 나가는 사람은 차감인 사람에 비해 부담이 없어서 성의 없이 나가는 경우가 많다는 단점이 있다. 나도 미차감 만남을 계속 거절하다 처음 허락했는데 이유가 있었다. 내가 2 명밖에 안 만나본 상태라서 상대의 피드백도 2 개밖에 없다고 한다. 그런데 좋은 피드백이 많을수록 매니저들이 나를 좋게 봐서 더 적극적으로 소개해준다고 했다. 상품으로 치면 좋은 상품평이 많을수록 그 상품이 인기가 많아지는 것과 비슷한 이치로 틀린 말은 아니었다. 또한, 프로필만 봤을 때 내키지 않았지만 만나보니 괜찮을 가능성도 있다. 낮은 가능성이지만 열어둬야 한다. 그리고 내가 매니저의 의견을 수렴했으니 다음 프로필과 만남에 더 신경 써 주겠다는 약속도 받았다. 그래서 우선 만나보기로 했다. 그 이후 미차감 만남을 몇 번 했더니 매니저의 말처럼 추가 미차감 만남이 이어서 들어왔다.

그런데 여기서 한가지 중요한 게 있다.
두세 번 정도는 가능성을 열어두고 마음에 들지 않는 사람을 만나볼 수 있지만 매니저에게 휘둘려서는 안 된다. 속된 말로 호구 잡히면 안 된다는 것이다. 몇 번 반복하다 보면 어느새 내가 원하는 사람은 못 만나고, 상대의 차감용 만남만 지속될 수 있기 때문이다. 그래서 그런 낌새가 보이면 단호하게 거절하며 '나는 고객'이라는 사실을 인식시켜 줘서 호락호락하게 보지 않게 해야한다.
끝으로 최근 알게 된 몇 가지 정보가 있다.

1. 만남 피드백을 100 점 만점으로 환산하여 기록한다.

2. 상황에 따라 상대가 만남을 수락해도 바로 미차감 만남을 알려주지 않고, Keep 해두기도 한다.

1 번은 매니저가 예전에 말했던 것처럼 만났던 사람들의 피드백이 괜찮아서 미차감 만남이 꽤 온 것 같다. 2 번은 만났던 사람 중에 한 명에게 직접 들었는데 두 달 만에 약속이 잡혀서 내가 거절한 줄 알았다고 한다. 차감을 유도하기 위해 미차감을 조절하는 것 같다.

큰돈 들여 가입했는데 이런 신경까지 써야 한다니 결혼정보회사는 참 복잡하다. 직접 겪어보고 나서야 알게 된 사실이라서 못마땅하지만 좋은 사람을 만날 가능성을 위해 감수하기로 했다. 결혼정보회사에서 만나 결혼한 친구도 마음에 들지 않는 많은 미차감 만남 후에 지금의 남편을 만났다. 그런데 놀랍게도 남편도 미차감 만남이었다.

그러니 가능성이 좀 낮을 뿐, 나쁜 결과만 있는 건 아니라 조금은 희망을 가져봐도 되지 않을까?

결혼정보회사가 만남의 폭을 넓히려고 가입한 것이니 만남의 기준도 함께 넓혀보고 있다. 얼마나 더 넓혀야 내 짝을 만날 수 있을지 모르지만 횟수 차감이 끝나는 순간까지 넓혀보려고 한다.

부록 2

비혼주의자가 아닌 2030 에게 해주고 싶은 이야기

나는 어릴 적부터 호기심이 많아서 배우고 싶은 것이나 하고 싶은 것들이 많았다. 그래서 다양한 것들을 배웠으며 취미생활도 적극적으로 즐겼다. 크게 관심이 없고 적극적이지 않았던 건 '연애와 결혼' 이렇게 2 가지였다.

남자를 만날 때 첫인상이 다가 아닌데 대부분 첫 만남으로 결정했다. 상대가 마음에 들지 않으면 칼같이 거절했으며 일절 여지도 남기지 않았다. 남자를 보는 시야가 참 좁았던 것 같다. 그리고 20 대 때는 연애 말고도 재미있는 것들이 많아서 해도 그만 안 해도 그만이라는 생각이 강했던 것 같다.

결혼에 대한 생각도 마찬가지였다. 결혼을 꼭 해야 하는 건 아니지만 좋은 사람을 만나면 하고 싶었다. 30 대가 되어서는 결혼 가능성이 없다고 판단되면 아예 만나려고 하지 않았다. 그래서 상대가 어떤 사람인지 자세히 알기도 전에 결혼할 사람인지 아닌지 혼자 판단하고 아니라는 생각이 들면 칼같이 이별을 고했다. 30 대가 되어서도 남자에 대한 판단은 여전히 20 대에 머물러 있었던 것이다.

사람은 경험하는 만큼 성장한다.
나는 사회적으로나 인간적으로는 일한 햇수나 나이에 비례해 잘 성장했던 것 같은데 연애나 결혼에 관해서는 그러지 못한 것 같다. 나와 잘 맞는 좋은 사람과 결혼하고 싶다는 생각은 있었지만 막상 노력은 하지 않으면서 때가 되면 만날 수 있을 거라는 막연한 희망을 품는 모순된 삶을 살았다. 그러면서 다른 한편으로는 결혼을 꼭 하지 않아도 된다는 생각도 있어서 느긋했다. 지금 생각해보면 그때는 내가 외로움을 느끼지 않았고. 가족과 친구들 그리고 일과 여러가지 취미생활로 충만한 삶이어서 그랬던 것 같다.
하지만 나는 외로움이 없는 사람이 아니었으며 일, 가족, 친구와 취미로 채워줄 수 없는 빈자리가 있다는 걸 몰랐던 것뿐이었다. 그걸 코로나로 인해 너무 늦게 깨달았다.

나는 외로움이 없는 사람이 아니라 외로울 틈이 없게 살았던 것이다. 그리고 혼자 집에서 보내는 시간도 좋아했다고 생각했는데 가족과 함께 살아서 혼자만의 시간은 그리 많지 않았고, 그것도 내가 원할 때만 선택적으로 혼자만의 시간을 즐겼던 것 같다. 그런데 코로나로 강제로 혼자만의 시간을 가지게 되니 예상치 못한 외로움에 사무쳤다.

가족과 친구가 채워주지 못하는 그 무언가를 처음으로 느꼈고, 내가 선택할 수 있는 유일한 가족을 꼭 찾아야겠다는 생각이 들었다. 나를 가장 잘 아는 건 나라고 생각했는데 나도 몰랐던 면이 코로나 이후 표면 위로 드러난 것이다.

나이가 들수록 드는 생각인데 인생 자체가 나를 알아가는 과정인 것 같다. 결혼이 선택에서 필수로 바뀐 것도 이 과정들 중 하나였다.
40 대가 되어서야 미처 몰랐던 나의 단면이 드러났으니 20 대와 30 대는 더 많이 숨겨져 있을 가능성이 높다. 그래서 20 대나 30 대 때 확고한 비혼주의자가 아니라면 내가 결혼을 해야 하는 사람일지 아닐지에 대해 여러 방면으로 심도 있게 고민해보는 걸 강력하게 추천한다. 나처럼 '결혼이 필수는 아니지만 좋은 사람이 있으면 하고 싶다'라는 막연한 생각만 하고 있다가 뒤늦게 후회하고 있는 나의 전철을 밟지 않기를 바라는 마음에서이다.

그럼 어떤 방법으로 내가 결혼을 해야 하는 사람인지 알 수 있을까? 내가 생각하는 가장 좋은 방법은 혼자 살아보는 것이다.

그러면 혼자만의 시간과 외로움을 얼마나 잘 보내고 견딜 수 있는지 알게 될 것이다. 이분법적인 표현이지만 외롭더라도 혼자가 편하고 누군가와 함께 살 자신이 없다면 혼자 사는 게 더 맞는 사람이고, 인생을 함께 나눌 누군가가 꼭 필요하다는 걸 느낀다면 결혼이 필요한 사람인 것 같다. 사실 정말 나와 잘 맞고 좋은 사람을 만난다면 자연스럽게 결혼으로 이어질 테니 이 방법은 참고 정도로 생각하면 될 듯싶다.

만약 내가 결혼을 해야 할 사람 같은데 남자 친구가 없다면 노력을 해야 한다. 먼저 가장 이성을 만나는 가장 흔한 루트인 소개팅이나 선에 적극적일 필요가 있다. 들어오는 소개팅이나 선은 웬만하면 나가도록 하고, 주위 사람들에게 한 번쯤 좋은 사람 있으면 소개해달라고 자연스럽게 부탁하는 것도 괜찮다. 단, 까다로운 조건을 말하거나 반복적으로 얘기하는 등의 부담을 줘서는 안 된다.
더불어 취미 활동이나 무엇인가를 배우는 동호회 같은 활동도 하는 것이 좋다. 결혼정보회사에 가입하는 것도 한 가지 방법이다. 여러 방법을 시도해야 가능성도 더 높아질 수 있으니 시도할 수 있는 방법은 최대한 해보는 게 좋을 것 같다. 이렇게까지 해서 결혼을 꼭 해야 하냐는 부정적인 시선도 있겠지만 한 살이라도 어릴 때 여러 방법을 시도하는 게 선택권이 훨씬 많으며 여러 면에서 유리하기 때문이다.

나는 결혼을 장려하려는 게 아니다.

나도 안 해 본 결혼을 어떻게 남에게 추천하겠는가?

단지 하루라도 더 젊을 때 자신이 결혼을 해야 하는 사람일지 아닐지 다각도로 잘 살펴보고 결혼을 해야 할 사람이라면 나처럼 늦지 않게 준비하라고 이야기해주고 싶은 것뿐이다.

그리고 결혼을 하거나 안 하는 게 중요한 것이 아니다.

내가 진정 원하는 삶을 사는 것이 가장 중요하다.

부디 이 글을 읽는 사람들은 모두 자신의 깊은 내면을 들여다보고 결혼에 대한 현명한 판단을 했으면 좋겠다. 나는 늦었지만 나와 잘 맞는 좋은 사람을 만나기 위해 노력 중이며 당분간 계속될 것 같다.

에필로그

처음 이 책을 쓰기 시작할 때만 해도 결혼에 대한 이야기가 대부분일 거라고 생각했습니다. 그런데 쓰다 보니 제가 살아온 삶을 반추하게 되었습니다. 현재의 삶에 최선을 다하며 행복하게 사는 것이 저의 인생 모토인데 젊은 날의 저를 되돌아보니 그에 맞춰 꽤 잘 살았던 것 같습니다. 참 다행이었습니다. 만약 제 삶을 되돌아봤는데 그날이 그날인 일상들로만 가득했다면 많이 슬펐을 거 같거든요.

진작 '결혼에 대해 관심을 가졌다면 얼마나 좋았을까?'라는 아쉬움이 있지만 이 정도면 잘 살아온 것 같습니다. 세상에 모든 걸 만족하고 살 수는 없으니까요. 이제라도 알았으니 노력하면 충분히 가능할 거라고 믿습니다. 늦은 만큼 더 많은 어려움이 있고, 더 많은 노력을 해야겠지만 그래도 해볼 만한 가치가 있다고 생각합니다. 저의 노력이 어디까지 그리고 언제까지 계속될지 모르겠지만 힘닿는 데까지 해보려고 합니다.

그래서 다음 책에서는 꼭 '결혼 성공기'로 돌아오겠습니다.

읽어 주셔서 감사합니다.